المركز العربي للخدمات التربوية - كندا
Centre Arabe Pour Les Services Pédagogiques - Canada

في حديقة اللغة العربية

القواعد المبسطة

المستوى السابع

إعداد:

مجموعة من التربويين

مراجعة:

د. شوقي الخالدي   إلياس إسكندر

إشراف:

جعفر درغوثي

الطبعة الثانية 2017

Centre Arabe Pour les Services Pédagogiques - Canada

Tel: (1) 514 900 0895 / 514 889 1003

Viber / WhatsApp: 216 50 970 330

Site web: caspeducation.com

E-mail: admin@caspeducation.com

المقدّمة

يفخر المركز العربي للخدمات التّربويّة بأن يقدمّ سلسلة (في حديقة اللّغة العربيّة)، كبرنامج تربويّ شامل ومتكامل، موجّه بأسلوب عصريّ متميّز يتجاوز التّعقيدات المملّة المتعارضة مع مبادئ التّربية الحديثة. ومن أهمّ ما تهدف إليه هذه السّلسلة جعل المتعلّم قادرًا على تعلّم اللّغة العربيّة من خلال العمليات العقليّة الرّاقيّة: الاستقرائية والاستنتاجيّة والتّحليليّة والتّركيبيّة مع التّطبيق العملي، بغية الوصول إلى المهارات اللّغويّة المتقنة استماعا ومحادثة وقراءة وكتابة.

وتتجلّى أهمّيّة هذه السّلسلة فيما يلي:

-عرضها للمادّة المقرّرة بما يتناسب والمستويات المخصّصة لها، والوقت المحدّد لدراستها. وقد اتّبعنا في هذه الخطّة التّعليميّة أسلوبًا يأخذ بالمتعلّم في طريق التّدرّج المنهجيّ بما ييسر له الاستيعاب،

-الابتداء من حيث انتهى الآخرون، لذلك جاءت مناهجنا مركّزة على ما يهمّ بعيدًا عن الحشوِ وكلّ ما هو غير مفيد.

-اعتمادنا المزج بين أبرز نظريتين تعليميّتين: التّركيب والتّحليل، للوصول بالمتعلّم إلى اكتساب معرفة متوازنة تقوده إلى الاقتدار على التّعلم ذاتيًا أو بالاعتماد على الآخر: المعلّم أو الوالدين...

-تأهيل المتعلّم على تقبّل واستيعاب مهارات ترتقي به إلى التّطوّر في المعرفة والسّلوك ضمن خطّة تربويّة دقيقة تعتمد على التّقويم والتّقييم.

-وضع خطّة تربويّة وتعليميّة تفصيليّة لكلّ مقرّر، الهدف منها توضيح وتحديد كلّ ما تحتاجه العمليّة التّعليميّة، وتساعد المعلّم والمشرف التّربوي على إتمام عملهما احترافيًّا.

أملنا كبير في أن نكون قد ساهمنا بهذا المشروع التّربويّ في خدمة اللّغة العربيّة وتيسيرها أمام المقبلين عليها.

وبالله التوفيق

الفهرس

المحور	الرّقم	الدّرس	الصّفحة
		الفهرس	5-4
		التّقييم المبدئيّ	9-6
التّعبير		أهداف محور التّعبير الكتابيّ	10
	1	في التعبير الإبداعيّ: كتابة فقرة	13-12
	2	في الإبداعيّ: كتابة مقالة	15-14
	3	في التّعبير الوظيفيّ: بطاقة دعوة	17-16
	4	في التّعبير الوظيفيّ : كتابة الحوار	19-18
	5	في التّعبير الإبداعيّ (فنّ الوصف)	21-20
	6	في التّعبير الوظيفيّ: كتابة المذكّرات اليوميّة	23-22
	7	في التّعبير الوظيفيّ: الرّسالة الشخصيّة	25-24
		نماذج من المواضيع المحرّرة	28-26
النّحو		أهداف محور النّحو	30
	1	منهج البحث في المعجم الوجيز	34-32
	2	أنواع الخبر في الجملة الاسميّة	37-35
	3	الفعل المضارع المرفوع والمنصوب	40-38
	4	الأفعال الخمسة	43-41
	5	اسم الفاعل	45-44
	6	اسم المفعول	47-46
	7	نائب الفاعل	49-48
	8	المفعول لأجله	51-50
	9	الحال	53-52
	10	الاسم الصّحيح والمقصور والممدود والمنقوص	55-54

4

الصّفحة	الدّرس	الرّقم	المحور
56	أهداف محور الإملاء		
58-60	همزة الوصل وهمزة القطع	1	
61-63	الألف اللّيّنة في آخر الأفعال الثّلاثيّة	2	
64-66	كتابة الهمزة المتوسّطة على ألف	3	
67-68	الهمزة المتوسّطة على واو	4	الإملاء
69-70	الهمزة المتوسّطة على ياء	5	
71-72	كتابة الهمزة في آخر الكلمة	6	
73-74	حذف الواو من الأفعال	7	
75-76	علامات التّرقيم	8	

التَّقْيِيمُ المَبْدَئِيُّ

أُجِيبُ عَنِ الأَسْئِلَةِ التَّالِيَةِ:

1. أَضَعُ إِشَارَةَ (صح) أَمَامَ العِبَارَةِ الصَّحِيحَةِ، وَإِشَارَةَ (خطأ) أَمَامَ العِبَارَةِ غَيْرِ الصَّحِيحَةِ:

أ. (   ) الْجُمْلَةُ الْفِعْلِيَّةُ هِيَ الْجُمْلَةُ الَّتِي تَبْدَأُ بِالْفِعْلِ.

ب. (   ) الْجُمْلَةُ الاسْمِيَّةُ هِيَ الْجُمْلَةُ الَّتِي تَبْدَأُ بِالاسْمِ.

ج. (   ) جَمْعُ الْمُذَكَّرِ السَّالِمِ هُوَ الْجَمْعُ الَّذِي يَنْتَهِي بِأَلِفٍ وَتَاءٍ.

د. (   ) جَمْعُ الْمُؤَنَّثِ السَّالِمِ هُوَ الَّذِي يَنْتَهِي بِوَاوٍ وَنُونٍ.

ه. (   ) جَمْعُ التَّكْسِيرِ هُوَ مَا دَلَّ عَلَى أَكْثَرِ مِنِ اثْنَيْنِ، وَلَمْ يُسْلَمْ بِنَاءُ مُفْرَدِهِ مِنَ التَّغْيِيرِ.

و. (   ) الْفِعْلُ الصَّحِيحُ هُوَ الْفِعْلُ الَّذِي خَلَتْ حُرُوفُهُ مِنْ أَحْرُفِ الْعِلَّةِ.

ز. (   ) الْفِعْلُ الْمُعْتَلُّ هُوَ الْفِعْلُ الَّذِي تَضَمَّنَ أَحَدَ حُرُوفِ الْعِلَّةِ.

ح. (   ) نَائِبُ الْفَاعِلِ يُسْبَقُ بِفِعْلٍ مَبْنِيٍّ لِلْمَعْلُومِ.

ط. (   ) الْفِعْلُ اللَّازِمُ هُوَ الْفِعْلُ الَّذِي يَكْتَفِي بِفَاعِلِهِ.

ك. (   ) الْفِعْلُ الْمُضَارِعُ الْمَجْزُومُ هُوَ الْفِعْلُ الَّذِي سُبِقَ بِحَرْفِ جَزْمٍ.

2. أَضَعُ خَطًّا تَحْتَ الْفَاعِلِ، وَخَطَّيْنِ تَحْتَ الْمَفْعُولِ بِهِ، فِيمَا يَلِي:

أ. ضَرَبَ اللَّاعِبُ الْكُرَةَ.

ب. حَمَلَ الرَّجُلُ الْمُسَافِرُ حَقِيبَتَهُ.

ج. أَكَلَ الْوَلَدُ فِي فُسْحَةِ الْمَدْرَسَةِ التُّفَّاحَةَ.

د. قَادَ الْمُدَرِّبُ الْفَرِيقَ لِلْفَوْزِ.

3. أَسْتَخْرِجُ مِنَ الْفِقْرَةِ التَّالِيَةِ مَا يَأْتِي:

فَرِيدٌ طَالِبٌ مُجْتَهِدٌ، يُحَافِظُ عَلَى دُرُوسِهِ بِاسْتِمْرَارٍ، وَالطُّلَّابُ الَّذِينَ فِي صَفِّهِ يُحِبُّونَهُ، لِأَنَّهُ يَتَحَلَّى بِأَخْلَاقٍ جَيِّدَةٍ، مَعَ زَمِيلَاتِهِ الطَّالِبَاتِ، وَلَمْ يُهْمِلْ وَاجِبَاتِهِ، هُوَ دَائِمًا يَعُودُ لِبَيْتِهِ مُبَكِّرًا، وَيَحْتَرِمُ تَوْصِيَاتِ وَالِدَيْهِ.

أ. جُمْلَةً اسْمِيَّةً: ....

ب. جُمْلَةً فِعْلِيَّةً: ....

ج. جَمْعًا مُذَكَّرًا سَالِمًا: ....

د. جَمْعًا مُؤَنَّثًا سَالِمًا: ....

ه. جَمْعَ تَكْسِيرٍ: ....

و. فِعْلًا صَحِيحًا: ....

ز. فِعْلًا مُعْتَلًّا: ....

ح. فِعْلًا مَبْنِيًّا لِلْمَجْهُولِ: ....

ط. أَدَاةَ جَزْمٍ: ....

ك. مَفْعُولًا بِهِ: ....

ل. ضَمِيرًا مُنْفَصِلًا: ....

م. اسْمًا مَوْصُولًا: ....

ن. ضَمِيرًا مُتَّصِلًا بِالِاسْمِ: ....

هـ. فِعْلًا مُتَعَدِّيًا: ....

4. أُعْرِبُ مَا تَحْتَهُ خَطٌّ فِيمَا يَأْتِي:

أ. حَضَرَ الْمُعَلِّمُونَ إِلَى الْمَدْرَسَةِ ....

....

ب. فُهِمَ الدَّرْسُ..

....

ج. مَنْ لَمْ يَحْضَرْ مُبَكِّرًا يَخْسِرْ كَثِيرًا..

....

د. يَشْرَبُ الْمَرِيضُ الدَّوَاءَ..

....

4. أُبَرِّرُ كِتَابَةَ الْهَمْزَةِ عَلَى صُورَتِهَا فِي الْكَلِمَاتِ الْآتِيَةِ:

- أَسْعَى: ....
- أَمِيرَة: ....
- الْعَبْ : ....
- ابْن : ....
- سُئِلَ : ....
- سُؤَال:...

5. أُبَرِّرُ حَذْفَ أَلِفِ التَّنْوِينِ فِي الْكَلِمَاتِ الْمُلَوَّنَةِ الآتِيَةِ:

أ. وَجَدْتُ حَقِيبَةً فِي الْمَدْرَسَةِ.

ب. أَعْرَبْتُ مُبْتَدَأً وَخَبَرًا.

ج. حَضَرَ فَتًى مُبَكِّرًا.

6. أَضَعُ فِي الْمَكَانِ الْخَالِي مِمَّا يَأْتِي كَلِمَةً بِهَا تَاءٍ مَرْبُوطَةٍ، أَوْ تَاءٍ مَفْتُوحَةٍ:

أ. حَضَرَت .... إِلَى الْبَيْتِ.

ب. نَامَت ....فِي فِرَاشِهَا.

ج. .... الْبِنْتُ الكُرَةَ.

د. ....الطَّالِبَةُ الْمُتَفَوِّقَةُ بِالْجَائِزَةِ.

7. أُبَرِّرُ كِتَابَةَ الْأَلِفِ فِي آخِرِ الْفِعْلِ فِيمَا يَأْتِي:

* دَعَا: ....

* اشْتَرَى: ....

* أَحْيَا: ....

* بَنَى: ....

8. أُصَرِّفُ الْفِعْلَ الْمَاضِي (فَهِمَ) مَعَ الضَّمَائِرِ الْمُبَيَّنَةِ فِي الْجَدْوَلِ الْآتِي:

الضَّمَائِرُ	الْمَاضِي	الْمُضَارِعُ الْمَرْفُوعُ	الْمُضَارِعُ الْمَنْصُوبُ	الْمُضَارِعُ الْمَجْزُومُ	الْأَمْرُ
أَنَا					
نَحْنُ					
أَنْتَ					
أَنْتِ					
أَنْتُمَا					
أَنْتُنَّ					

9. أُصَرِّفُ الْفِعْلَ الْمَاضِي الْمَهْمُوزَ (أَخَذَ) مَعَ الضَّمَائِرِ الْمُبَيَّنَةِ فِي الْجَدْوَلِ الْآتِي:

الضَّمَائِرُ	الْمَاضِي	الْمُضَارِعُ الْمَرْفُوعُ	الْمُضَارِعُ الْمَنْصُوبُ	الْمُضَارِعُ الْمَجْزُومُ
هُوَ				
هِيَ				
هُمَا				
هُمَا				
هُمْ				
هُنَّ				

التَّعْبِيرُ (الإِبْدَاعِيّ - الْوَظِيفِيّ)

بَعْدَ التَّدْرِيبِ عَلَى كِتابَةِ مَوْضُوعَاتِ التَّعْبِيرِ الإِبْدَاعِيَّةِ وَالْوَظِيفِيَّةِ الآتِيَةِ، يُحَقِّقُ الطَّالِبُ نَوَاتِجَ التَّعَلُّمِ الآتِيَةَ:

1. فِي التَّعْبِيرِ الإِبْدَاعِيِّ:

- الْقُدْرَةُ عَلَى تَكْوِينِ فِقْرَةٍ مِنْ عَدَدٍ مِنَ الْجُمَلِ.
- الْقُدْرَةُ عَلَى كِتَابَةِ مَقَالَةٍ قَصِيرَةٍ مُكَوَّنَةٍ مِنْ فِقْرَتَيْنِ.
- الْقُدْرَةُ عَلَى كِتَابَةِ حِوَارٍ.
- الْقُدْرَةُ عَلَى وَصْفِ مَشْهَدٍ طَبِيعِيٍّ.

2. فِي التَّعْبِيرِ الْوَظِيفِيِّ:

- الْقُدْرَةُ عَلَى كِتَابَةِ رِسَالَةٍ شَخْصِيَّةٍ.
- الْقُدْرَةُ عَلَى كِتَابَةِ بِطَاقَةِ دَعْوَةٍ لِحُضُورِ مُنَاسَبَةٍ.
- الْقُدْرَةُ عَلَى كِتَابَةِ إِعْلَانٍ عَنْ حَدَثٍ مُعَيَّنٍ.
- الْقُدْرَةُ عَلَى كِتَابَةِ بِطَاقَةِ تَهْنِئَةٍ.
- الْقُدْرَةُ عَلَى صِيَاغَةِ نَصَائِحَ وَإِرْشَادَاتٍ.
- الْقُدْرَةُ عَلَى كِتَابَةِ الْمُذَكَّرَاتِ الْيَوْمِيَّةِ.

1

التّعبير

الإبداعيّ والوظيفيّ

فِي التّعْبِيرِ الإِبْداعِيِّ: كِتابَةُ فِقْرَةٍ

تَعْرِيفُ الْفِقْرَةِ: مَجْمُوعَةٌ مِنَ الْجُمَلِ التّامَةِ الْمُفِيدَةِ، الّتِي تَرْتَبِطُ بِرَوابِطَ تَرْبُطُ مَعانِي الْجُمَلِ بَعْضِهَا بِبَعْضٍ، وتُمَثِّلُ الفِقْرَةُ فِكْرَةً مُعَيَّنَةً رَئِيسَةً، وتُرَاعِي تَنْوِيعَ الأَسَالِيبِ، وَتَتَنَوَّعُ الْفِقَرَاتُ فِي أُسْلُوبِهَا، وَتَهْتَمُّ بِوَضْعِ عَلَامَاتِ التَّرْقِيمِ.

فائِدَةٌ:

التّعبيرُ الإبْداعيُّ: وهُوَ التَّعْبِيرُ الّذي يُتَرْجِمُ فِيهِ الكَاتِبُ عَنْ مَشاعِرِهِ وَأَحَاسِيسِهِ وَمَعانيهِ وأفْكارِهِ بِلُغَةٍ فَنِّيَّةٍ مُؤَثِّرَةٍ.

فَنِّيَّةٌ: مِنْ حَيْثُ انْتِقَاءِ الأَلْفَاظِ وبَلاغَةِ التَّراكِيبِ مُسْتَوْفِيَّةً لِلشُّرُوطِ النَّحْوِيَّةِ.

مُؤَثِّرَةٌ: تَتْرُكُ أَثَرًا فَعَّالًا تُثِيرُ مَشاعِرَ الْمُتَلَقّي سَامِعًا أَوْ قَارِئًا فَيُشارِكُهُ وِجْدانَهُ وَيَنْفَعِلُ مَعَهُ.

وتَتَجَلّى الذّاتيَّةُ فِي هَذا النَّوْعِ مِنَ التَّعْبِيرِ، وَأَهَمُّ مَجالَاتِهِ: الْقَصِيدَةُ وَالْقِصَّةُ والْمَسْرَحِيَّةُ وَالْمَقَالَةُ والْخُطْبَةُ والرِّسَالَةُ...

مِثالٌ عَنِ الْفِقْرَةِ:

قامَ فِي نَفْسِي أَنْ أَجْمَعَ ثَلاثَةً مِنْ أَوْلَادِي فِي مَرَاحِلَ التّعْلِيمِ الْمُخْتَلِفَةِ، وَأُلْقِي عَلَيْهِمْ سُؤَالًا طَرِيفًا، لِأَتَبَيَّنَ عَقْلِيَّتَهُمْ وَأَخْتبِرَ تَفْكِيرَهُمْ، فَسَأَلْتُهُمْ عَلَى التَّوالِي: لِمَاذَا تَذْهَبُ إِلَى الْمَدْرَسَةِ؟ فَأَمَّا أَصْغَرُهُمْ، وهُوَ فِي رَوْضَةِ الأَطْفَالِ فَقَالَ: أَذْهَبُ إِلَى الْمَدْرَسَةِ لِأَتَعَلَّمَ اللُّغَةَ الْعَرَبِيَّةَ وَالْحِسَابَ وَالْخَطَّ وَالأَشْغَالَ... وَأَمَّا الّذي فِي السّنَةِ الرّابِعَةِ الابْتِدائِيَّةِ فَقَالَ: أَتَعَلَّمُ لِآخُذَ الشَّهَادَةَ هَذا العَامَ وَأَدْخُلَ الْمَدْرَسَةَ الثّانوِيَّةَ لِأُتِمَّ دِراسَتي، وَأَحْصُلَ عَلَى الشَّهادَةِ وَأُوَظَّفَ، وَأَمّا كَبِيرُهُمْ وَهُوَ فِي مَدْرَسَةِ الْهَنْدَسَةِ، فَقَالَ: لِأُتِمَّ دِراسَتِي، وَأَحْصُلَ عَلَى الشَّهادَةِ وَأُوَظَّفَ...

التَّوْضِيحُ:

1. أَنْظُرُ إِلَى فِقْرَتَيِ النَّصِّ وَأُلَاحِظُ مَا يَلِي:

أ. أَنَّ الْجُمَلَ التَّامَةَ ذَاتُ مَعْنًى وَاضِحٍ (وَهِيَ جُمَلٌ اسْمِيَّةٌ أَوْ فِعْلِيَّةٌ).

ب. أَنَّهَا تَرْتَبِطُ بِرَوَابِطَ تُكْمِلُ الْمَعْنَى (فِي – بَيْنَ – الَّتِي ...).

ج. أَنَّهَا تَحْمِلُ فِكْرَةً رَئِيسَةً وَاحِدَةً.

د. أَنَّهَا تَلْتَزِمُ بِعَلَامَاتِ التَّرْقِيمِ.

ه. أَنَّهَا تَتْرُكُ مَسَافَةً فِي بِدَايَةِ الْفِقْرَةِ.

و. أَنَّ الْأَسَالِيبَ فِيهَا تَتَنَوَّعُ (التَّعَجُّبُ / الاسْتِفْهَامُ...)

التَّطْبِيقُ:

1. أُجِيبُ عَمَّا يَأْتِي:

أ. هَلِ الْجُمَلُ فِي الْفِقْرَةِ السَّابِقَةِ لَهَا مَعْنًى مُفِيدٌ؟ ....

ب. هَلْ تَرْتَبِطُ الْجُمَلُ بِرَوَابِطَ تُكْمِلُ الْمَعْنَى؟ مَا هِيَ؟..

ج. هَلْ تُعَبِّرُ الْفِقْرَةُ السَّابِقَةُ عَنْ فِكْرَةٍ رَئِيسَةٍ؟ مَا هِيَ؟..

د. هَلْ وُضِعَ فِي الْفِقْرَةِ عَلَامَاتُ تَرْقِيمٍ؟ مَا هِيَ؟..

ه. هَلْ تُرِكَتْ مَسَافَةٌ فِي بِدَايَةِ الْفِقْرَةِ؟..

و. هَلْ تَنَوَّعَتِ الْأَسَالِيبُ؟ أَذْكُرُ بَعْضَهَا:..

2. أَرْبُطُ بَيْنَ الْجُمَلِ التَّالِيَةِ لِأُكَوِّنَ فِقْرَةً، تَتَمَثَّلُ فِيهَا الْمُوَاصَفَاتُ السَّابِقَةُ:

1. الصَّدَاقَةُ عَلَاقَةٌ إِيجَابِيَّةٌ.

2. كَمَا أَنَّهَا تُقَوِّي الْمُجْتَمَعَ.

3. فَهِيَ تُقَوِّي الْعَلَاقَةَ بَيْنَ الصَّدِيقَيْنِ.

4. حَيْثُ يُحَافِظُ كُلُّ صَدِيقٍ عَلَى أَسْرَارِ صَدِيقِهِ.

5. وَيُسَاعِدُ فِيهَا الصَّدِيقُ صَدِيقَهُ.

6. فَيُصْبِحُ مُجْتَمَعًا مُتَعَاوِنًا.

الْمَقالَةُ: هِيَ لوْنٌ مِنْ أَلْوَانِ الْكِتَابَةِ الإبْدَاعِيَّةِ، يُعَبِّرُ فِيهَا الْكَاتِبُ عَنْ وِجْهَةِ نَظَرِهِ مِنْ خِلالِ فِكْرَةٍ رَئِيسَةٍ، وَمَجْمُوعَةٍ مِنَ الأَفْكَارِ الْجُزْئِيَّةِ، حَسَبَ طُولِ الْمَقالَةِ أَوْ قِصَرِهَا، أَوْ أَهَمِيَّتِهَا. وَالْمَقْصُودُ بِالْمَقَالَةِ هُنَا الْمَقَالَةُ النَّثْرِيَّةُ الإبْدَاعِيَّةُ.

مُكَوِّنَاتُ الْمَقَالَةِ:

1. الْمُقَدِّمَةُ: ويُحَدِّدُ فِيهَا الْكَاتِبُ الْفِكْرَةَ الْعَامَّةَ الَّتِي يُرِيدُ التَّعْبِيرَ عَنْهَا.
2. الْعَرْضُ / الْجَوْهَرُ: (الأَفْكَارُ الْجُزْئِيَّةُ)، تكُونُ مُتَسَلْسِلَةً ومُتَرَابِطَةً وَوَاضِحَةً، وتُسَلِّمُ كُلُّ فِكْرَةٍ لِلفِكْرَةِ الّتي بَعْدَهَا.
3. الْخَاتِمَةُ: وَيَعْرِضُ فِيهَا الْكَاتِبُ مُلَخَّصًا لِمَا ذَكَرَهُ سابِقًا مِنْ أفْكارٍ، ثُمَّ يُبْرِزُ وِجْهَةَ نَظَرِهِ وَرَأْيِهِ.

أنْوَاعُ الْمَقَالَةِ:

1. الْمَقَالَةُ الأَدَبِيَّةُ: وَتَتَمَيَّزُ بِغَلَبَةِ الأُسْلُوبِ الأَدَبِيِّ، حَيْثُ تُبْرِزُ عَاطِفَةُ الْكَاتِبِ، وَتَنَوُّعُ الأَسَالِيبِ، وَاسْتِخْدَامُ الأَسَالِيبِ الْبَلاغِيَّةِ الْمُخْتَلِفَةِ، وَالأَلْفَاظُ الْمَشْحُونَةُ بِالإيحَاءَاتِ، وَفِيهِ تَظْهَرُ شَخْصِيَّةُ الْكَاتِبِ. وَالْغَرَضُ مِنْ هَذَا النَّوْعِ الإِمْتَاعُ.
2. الْمَقَالَةُ الْعِلْمِيَّةُ: وَهِيَ تَسْتَخْدِمُ الأُسْلُوبَ الْعِلْمِيَّ الَّذِي يَبْتَعِدُ عَنِ التَّصْوِيرِ الْخَيَالِيِّ، وَيَسْتَخْدِمُ الأَلْفَاظَ الْمُحَدَّدَةَ الْمُبَاشِرَةَ، وَلا تَظْهَرُ فِيهِ عَاطِفَةُ الْكَاتِبِ، وَلا رَأْيُهُ، وَيَعْتَمِدُ عَلَى الْحَقَائِقِ الْعِلْمِيَّةِ، وَغَرَضُ الْكَاتِبِ الإِقْنَاعُ.
3. الْمَقَالَةُ الأَدَبِيَّةُ الْعِلْمِيَّةُ: وَهِيَ تَمْزُجُ فِي خَصَائِصِهَا بيْنَ أُسْلُوبَيْ الْمَقَالَةِ الأَدَبِيَّةِ وَالْمَقَالَةِ الْعِلْمِيَّةِ.

نَموذَجُ مَقالَةٍ قَصيرَةٍ:

عَلِّموا أَوْلادَكُمُ الادِّخارِ.

1. المُقَدِّمَةُ:

الادِّخارُ سُلوكٌ اقْتِصادِيٌّ مُهِمٌّ في حَياتِنا، في هَذا الْعَصْرِ، وعَلى وَجْهِ الْخُصوصِ عِنْدَ الأَوْلادِ.

2. الْعَرْضُ:

ذَلِكَ أَنَّ تَرْبِيَةَ أَوْلادِنا عَلى هَذا السُّلوكِ، يَخْلُقُ لَدَيْهِمْ نَمَطًا مُهِمًّا في حَياتِهِمْ، ويَجْعَلُهُمْ يَعْرِفونَ كَيْفَ يُنْفِقونَ، ومَتى يَتَصَرَّفونَ، كَما يُمَكِّنُهُمْ مِنْ إِدْراكِ أَهَمِّيَّةِ ما ادَّخَروهُ، في وَقْتِ الشِّدَّةِ.

إِنَّ تَعْليمَ أَوْلادِنا الادِّخارِ يُؤَسِّسُ لِبِناءِ جيلٍ يُحافِظُ عَلى مُدَّخَراتِ أُسْرَتِهِ أَوَّلًا، ووَطَنِهِ ثانِيًا، ذَلِكَ أَنَّ هَذا السُّلوكَ يُسْهِمُ في بِناءِ اقْتِصادٍ قَوِيٍّ، يَدْفَعُ عَجَلَةَ التَّقَدُّمِ والازْدِهارِ.

إِنَّ التَّبْذيرَ عَدُوُّ الادِّخارِ، ذَلِكَ أَنَّهُ يُهْلِكُ ما ادَّخَرَهُ الْفَرْدُ، وما وَفَّرَتْهُ الأُسْرَةُ، بَلِ الْوَطَنُ، ولِذَلِكَ تَحْرُصُ مُؤَسَّساتُ الدَّوْلَةِ الرَّشيدَةِ عَلى نَشْرِ ثَقافَةِ الادِّخارِ بَيْنَ النّاشِئَةِ في الْمَدارِسِ، وفي الْمُجْتَمَعِ.

3. الْخاتِمَةُ:

وهَكَذا نَجِدُ أَنَّ لِلادِّخارِ أَهَمِّيَّةً عَظيمَةً في حَياةِ الْفَرْدِ والْمُجْتَمَعِ، وفي ازْدِهارِ مُسْتَقْبَلِهِ.

ملاحَظَةٌ:

يَنْبَغي أَنْ يَكونَ التَّطْبيقُ مُسْتَمِرًّا في كِتابِ الْقِراءَةِ والتَّعْبيرِ، مَهارَةُ الإِنْتاجِ الْكِتابِيِّ

فِي التَّعْبِيرِ الوَظِيفِيِّ: بِطَاقَةُ دَعْوَةٍ

تَعْرِيفُ بِطَاقَةِ الدَّعْوَةِ: هِيَ شَكْلٌ مِنْ أَشْكَالِ التَّعْبِيرِ الْوَظِيفِيِّ، وَهِيَ تُرْسَلُ لِصَدِيقٍ، أَوْ قَرِيبٍ، تَدْعُوهُ فِيهَا لِمُنَاسَبَةٍ اجْتِمَاعِيَّةٍ، أَوْ رَسْمِيَّةٍ، لِمُشَارَكَةِ صَاحِبِ الدَّعْوَةِ فِي هَذِهِ الْمُنَاسَبَةِ.

نَمُوذَجٌ تطبيقيٌّ: بِطَاقَةُ دَعْوَةٍ مُرْسَلَةٌ لِصَدِيقَتِي أَسْمَاءَ أَدْعُوهَا فِيهَا لِحُضُورِ حَفْلَةِ عِيدِ مِيلَادِي.

التّاريخُ: الخميس 6 / يناير/ 2014

الْمُرْسِلَةُ: صَدِيقَتك سَمِيرَة...

صَدِيقَتِي أَسْمَاء:

أُحَيِّيكِ أَطْيَبَ تَحِيَّةٍ، وَأَتَمَنَّى لَكِ السَّعَادَةَ والتَّوْفِيقَ، ويَسُرُّنِي أَنْ أدْعُوكِ لِمُشارَكَتِي حَفْلَ عِيدِ مِيلَادِي، وَذَلِكَ يَوْمَ الأَحَدِ الْمُوَافِقِ 9 / يَنَايِر/ 2014، السَّاعَةَ السَّادِسَةَ مَسَاءً، وَذَلِكَ فِي بَيْتِنَا الْكَائِنِ فِي مِسِيسَاجا / كَنَدَا / شَارِع (دَنْدَس) بِنَايَة رَقْم (15)، شُقَّة رَقْم (5)، وَأَكُونُ شَاكِرَةً لَوْ حَضَرْتِ مُبَكِّرَةً، وُجُودِكِ مَعِي صَدِيقَتِي يَجْلِبُ لِي السَّعَادَةَ.

أَشْكُرُكِ وأَتَمَنّى لَكِ التَّوْفِيقَ، أَنَا فِي انْتِظَارِكِ.

صَدِيقَتُكِ / سَمِيرَة

الأَسئِلَةُ التَّوْجِيهِيَّةُ:

1. مَاذَا كُتِبَ عَلَى الْجِهَةِ الْيُمْنَى فِي بِدَايَةِ بِطَاقَةِ الدَّعْوَةِ؟..................................

2. بِمَاذَا بُدِئَتْ بِطَاقَةُ الدَّعْوَةِ؟..................................

3. مَاذَا كُتِبَ فِي مُقَدِّمَةِ بِطَاقَةِ الدَّعْوَةِ؟..................................

4. مَا الْهَدَفُ مِنْ بِطَاقَةِ الدَّعْوَةِ؟..................................

5. هَلْ حُدِّدَ مَوْعِدُ وَمَكَانُ الْحَفْلَةِ؟..

6. بِمَاذَا أُنْهِيَتْ بِطَاقَةُ الدَّعْوَةِ؟ ....

7. مَاذَا كُتِبَ فِي نِهَايَةِ بِطَاقَةِ الدَّعْوَةِ عَلَى الْجِهَةِ الْيُسْرَى؟........................

عَنَاصِرُ الرِّسَالَةِ:

مِنْ خِلَالِ الإِجَابَةِ عَنِ الأَسْئِلَةِ السَّابِقَةِ نَسْتَطِيعُ أَنْ نَسْتَنْتِجَ عَنَاصِرَ بِطَاقَةِ الدَّعْوَةِ التَّالِيَةِ:

1. اسْمُ مُرْسِلَةِ الْبِطَاقَةِ وَمَكَانُ وَتَارِيخُ إِرْسَالِهَا (وَيُكْتَبُ فِي الْجِهَةِ الْيُمْنَى).
2. اسْمُ الْمُرسَلِ إِلَيْهِ.
3. مُقَدِّمَةُ بِطَاقَةِ الدَّعْوَةِ (تَحِيَّةٌ وَتَمَنِّيَاتٌ).
4. الْهَدَفُ مِنَ الدَّعْوَةِ.
5. تَارِيخُ الْحَفْلِ وَزَمَانُهُ وَمَكَانُهُ.
6. خِتَامُ بِطَاقَةِ الدَّعْوَةِ (الْحُضُورُ الْمُبَكِّرُ، شُكْرٌ عَلَى تَلْبِيَةِ الدَّعْوَةِ، أَثَرُ الْحُضُورِ فِي النَّفْسِ)
7. اسْمُ الدَّاعِيَةِ. (وَيُكْتَبُ عَلَى الْجِهَةِ الْيُسْرَى)

الْخُلَاصَةُ:

التَّعْبِيرُ الْوَظِيفِيُّ: وَهُوَ ذَلِكَ التَّعْبِيرُ الَّذِي يَجْرِي بَيْنَ النَّاسِ فِي تَعَامُلِهِمْ وَتَنْظِيمِ شُؤُونِ حَيَاتِهِمْ وَهَذَا النَّوْعُ مِنَ التَّعْبِيرِ يَهْتَمُّ بِجَلَاءِ الْفِكْرَةِ وَتَحْقِيقِ الْهَدَفِ فِي لُغَةٍ سَلِيمَةٍ فِي مُفْرَدَاتِهَا وَتَرَاكِيبِهَا وَعِبَارَاتِهَا، وَتَتَجَلَّى الْمَوْضُوعِيَّةُ فِي هَذَا النَّوْعِ مِنَ التَّعْبِيرِ، وَأَهَمُّ مَجَالَاتِهِ:

جَمِيعُ تِقْنِيَاتِ التَّعْبِيرِ الْكِتَابِيِّ وَنَذْكُرُ عَلَى سَبِيلِ الْمِثَالِ: كِتَابَةُ مَحَاضِرِ الْجَلَسَاتِ وَالتَّقَارِيرِ وَالتَّحْقِيقَاتِ، وَكِتَابَةُ الْخُلَاصَاتِ وَالْمُذَكِّرَاتِ ...

مُلَاحَظَةٌ:

يَنْبَغِي أَنْ يَكُونَ التَّطْبِيقُ مُسْتَمِرًّا فِي كِتَابِ الْقِرَاءَةِ وَالتَّعْبِيرِ،

مَهَارَةِ الإِنْتَاجِ الْكِتَابِيِّ

الْحِوارُ: تَبادُلٌ لِلْأَفْكارِ بَيْنَ طَرَفَيْنِ (شَخْصَيْنِ أَوْ مَجْموعَتَيْنِ)، تُناقَشُ فِيهِ فِكْرَةٌ مُحَدَّدَةٌ أَوْ مَجْمُوعَةٌ مِنَ الأَفْكارِ، ويَكُونُ مُشافَهَةً أَحْيانًا، وَأَحْيانًا أُخْرَى يَكُونُ كِتابَةً.

مِثالٌ: دارَ حِوارٌ بيْنَ الابْنَةِ وَأُمِّها حوْلَ جائزَةِ الأُوسْكار.

نَمُوذَجُ نَصِّ الْحِوارِ:

فِي يَوْمِ الْعُطْلَةِ الأُسْبُوعِيَّةِ، جَلَسَتْ أُسْرَةُ زَيْنَبَ عَلى مَائِدَةِ الطَّعامِ، فَتَبادَلَتْ زَيْنبُ مَعَ أُمِّها الْحِوارَ التَّالِي:

-زَيْنَبُ: آمَلُ أَنْ تكُوني الْيَوْمَ بِخَيْرٍ يَا أُمّي.

-الأُمُّ: الْحَمْدُ للهِ يَا بُنَيَّتي. وَأَنْتِ كَيْفَ حالُكِ الْيَوْمَ؟

-زَينَبُ: بِخَيْرٍ يا أُمّي، ولَكِنَّ هُناكَ مَوْضُوعٌ يَشْغَلُني.

-الأُمُّ: عَسَى خَيْرًا، مَا هُوَ يَا بُنَيَّتِي؟

-زَينَبُ: لَقَدْ طَرَحَتْ عَلَيَّ أُسْتاذَتُنا سُؤالًا حَوْلَ جائِزَةِ الأُوسْكار.

-الأُمُّ: وَمَاذَا أَجَبْتِهَا يَا زَيْنَب؟

-زَينَبُ: الْحَقيقَةُ أَنّي تَرَدَّدتُ فِي الإِجابَةِ لِأَنَّني لَا أَمْلِكُ مَعْلُومَاتٍ كَثِيرَةً.

-الأُمُّ: مَاذَا تُريدينَ أَنْ تَعْرِفي يَا زَيْنَب؟

-زَينَبُ: تَاريخَ هَذِهِ الْجَائِزَةِ وَلِمَنْ تُعْطَى وَكَيْفَ؟

-الأُمُّ: ....

-زَينَبُ: ....

-الأُمُّ: ....

-زَينبُ: ....

مُلاحظَةٌ:

مِنْ خلَالِ تَحْليلِ الْجُزْءِ السَّابِقِ مِنَ الْحِوَارِ نَسْتَنْتِجُ السِّمَاتِ التَّالِيَةَ:

1. أَنْ تكُونَ لِلْحِوَارِ مُقدّمَةٌ.
2. أَنْ تكُونَ الْجُمْلَةُ الْحِوَارِيَّةُ قَصِيرَةً.
3. أَنْ تُبْرِزَ الْجُمْلَةُ الْحِوَارِيَّةُ الرَّأْيَ وَالْفِكْرَةَ بِوُضُوحٍ.
4. أَنْ تتنوَّعَ أَسَالِيبُ الإِقْنَاعِ.
5. أَنْ يَبْرِزَ فِي الْحِوَارِ احْتِرَامُ الرَّأْيِ الآخَرِ.
6. أنْ يَصِلَ الْحِوَارُ إِلَى نَتِيجَةٍ مُحَدَّدَةٍ.
7. أنْ تتنوَّعَ أَسَالِيبُ الْجُمْلَةِ الْحِوَارِيَّةِ (اسْتِفْهَامٍ – تعَجُّبٍ...).
8. أَنْ يَنْتَهِيَ الْحِوَارُ بِالرِّضَى بَيْنَ الطَّرَفَيْنِ.

مُلاحَظَةٌ:

يَنْبَغِي أَنْ يَكُونَ التَّطْبِيقُ مُسْتَمِرًّا فِي كِتَابِ الْقِرَاءَةِ وَالتَّعْبِيرِ، مَهَارَةُ الإِنْتَاجِ الْكِتَابِيِّ.

مَا هُوَ فَنُّ الْوَصْفِ؟

فَنُّ الْوَصْفِ هُوَ تَوْصِيفُ الْوَاقِعِ الْمُصَوَّرِ، أَوِ الْحَقِيقِيِّ، وَنَقْلِهِ مِنَ الطَّبِيعَةِ، إِلَى عُيُونِ وَأَذْهَانِ الآخَرِينَ، بِوَاسِطَةِ الْكَلِمَةِ نَقْلًا حَقِيقِيًّا أَوْ نَقْلًا أَدَبِيًّا.

طُرُقُ الْوَصْفِ: هُنَاكَ طَرِيقَتَانِ لِلْوَصْفِ:

الطَّرِيقَةُ الأُولَى: وَصْفٌ بِوَاسِطَةِ الْعَيْنِ الْمُجَرَّدَةِ لِلْوَاقِعِ كَمَا هُوَ، بِكُلِّ أَلْوَانِهِ، دُونَ تَدَخُّلِ الْمَشَاعِرِ وَالأَحَاسِيسِ، وَمِنْ مُوَاصَفَاتِهِ، أَنَّهُ:

أ. يَنْقُلُ الْوَاقِعَ كَمَا هُوَ، وَلَا يُضِيفُ لَهُ شَيْئًا مِنَ الْخَيَالِ.

ب. يَنْقُلُ أَجْزَاءَ الْمَشْهَدِ بِكُلِّ تَفَاصِيلِهَا.

ج. لَا تَتَدَخَّلُ عَوَاطِفُ وَأَحَاسِيسُ الْوَاصِفِ فِي التَّعْبِيرِ عَنْ جَمَالِيَّاتِ الْمَشْهَدِ أَوْ غَيْرَ ذَلِكَ.

مِثَالٌ: الْيَوْمَ جِئْتُ مَعَ عَائِلَتِي فِي نُزْهَةٍ إِلَى مَدِينَةِ وَالْتَ دِيزْنِي، فَلَمَّا وَصَلْنَا رَأَيْنَا تِلْكَ الْمَدِينَةَ الْجَمِيلَةَ، حَيْثُ كَانَتِ الأَلْعَابُ تَنْتَشِرُ فِي كُلِّ مَكَانٍ، وَالْمُجَسَّمَاتُ التَّرْفِيهِيَّةُ الْعِمْلَاقَةُ تَشُدُّ أَنْظَارَ الزَّائِرِينَ. حَقًّا، إِنَّهُ مَنْظَرٌ جَمِيلٌ وَرَائِعٌ.

الطَّرِيقَةُ الثَّانِيَةُ: الْوَصْفُ الأَدَبِيُّ الَّذِي يُعَبِّرُ فِيهِ الْوَاصِفُ عَمَّا يَشْعُرُ بِهِ عِنْدَ رُؤْيَتِهِ الْمَنْظَرَ، مُوَظِّفًا التَّعْبِيرَاتِ الْجَمِيلَةَ، وَالأَسَالِيبَ الْخَيَالِيَّةَ، بِطَرِيقَةٍ تَجْعَلُ الْقَارِئَ يَتَخَيَّلُ الأَبْعَادَ الْخَفِيَّةَ فِيهِ. وَمِنْ مُوَاصَفَاتِهِ، أَنَّهُ يَنْقُلُ تَفَاصِيلَ الْمَشْهَدِ بِأُسْلُوبٍ مُخْتَلِفٍ عَنِ الطَّرِيقَةِ السَّابِقَةِ، مِنْ خِلَالِ:

أ. تَوْظيفُ الْمَشَاعِرِ وَالْأَحَاسِيسِ الّتِي تَلْعَبُ دَوْرًا مُهِمًّا فِي نَقْلِ الصُّورَةِ.

ب. تَنْويعُ الْأَسَاليبِ الْأَدَبِيَّةِ، وَاسْتِخْدَامُ الصُّوَرِ الّتِي تُجَسِّمُ الْمَشَاهِدَ.

ج. التَّأْثِيرُ فِي الْعَوَاطِفِ وَالْأَحَاسِيسِ الّتِي تُحَقِّقُ الْإِعْجَابَ أَوِ النُّفُورَ لَدَى الْقَارِئِ، بِمَا يَجْعَلُهُ يَتُوقُ لِرُؤْيَةِ ذَلِكَ الْمَشْهَدِ أَوْ يَرْفُضُ مُشَاهَدَتَهُ.

مِثَالٌ: فِي صَبَاحِ يَوْمٍ جَمِيلٍ، عِنْدَمَا نَشَرَتِ الشَّمْسُ أَشِعَّتَهَا الذَّهَبِيَّةَ، وَصَلَتْ حَافِلَتُنَا إِلَى تِلْكَ الْمَدِينَةِ الْجَمِيلَةِ الّتِي اشْرَأَبَّتْ أَعْيُنُنَا لِرُؤْيَتِهَا، فَمَا أَنْ وَصَلْنَا حَتَّى رَأَيْنَا كُلَّ لُعْبَةٍ مِنَ الْأَلْعَابِ تَلْتَفُّ حَوْلَ الْأُخْرَى وَكَأَنَّهَا تَحْتَضِنُهَا لِتُعَانِقَ السَّمَاءَ، مَا أَجْمَلَ ذَلِكَ الْمَنْظَرَ! لَقَدْ جَعَلَ رُوحِي وَمَشَاعِرِي تُسَابِقُ جَرَيَانَهَا لِتَصِلَ إِلَى قِمَّةِ النَّشْوَةِ، وَهَذَا كَانَ ظَاهِرًا عَلَى وُجُوهِ كُلِّ مَنْ رَأَيْتُهُمْ يَزُورُونَ تِلْكَ الْمَدِينَةَ، فَقَدْ ظَهَرَتْ فِي عُيُونِهِمُ الْفَرْحَةَ وَالْبَهْجَةَ، وَلَا عَجَبَ فِي ذَلِكَ، حَقًّا، إِنَّهُ مَنْظَرٌ رَائِعٌ، يُسْعِدُ النَّفْسَ وَيُبْهِجُ الْخَاطِرَ.

مُلَاحَظَةٌ:

يَنْبَغِي أَنْ يَكُونَ التَّطْبِيقُ مُسْتَمِرًّا فِي كِتَابِ الْقِرَاءَةِ وَالتَّعْبِيرِ، مَهَارَةُ الْإِنْتَاجِ الْكِتَابِيِّ.

التَّعْبيرُ الوَظيفيُّ: كِتابَةُ الْمُذَكَّراتِ الْيَوْمِيَّةِ

مَا هِيَ الْمُذَكَّراتُ؟

الْمُذَكَّراتُ الْيَوْمِيَّةُ رَصْدٌ لِلأحْداثِ الَّتي عايَشَها أَوْ شاهَدَها الإنْسانُ مِنْ قَريبٍ أَوْ بَعيدٍ.

1. عِنْدَ كِتابَةِ الْمُذَكَّراتِ يَجِبُ أَنْ يُراعِيَ الْكاتِبُ:

أ. التَّدْريبُ الطَّويلُ عَلى الْكِتابَةِ.

ب. قِراءَةُ السِّيَرِ الذّاتِيَّةِ لِكُتّابٍ كِبارٍ.

ج. التَّفْكيرُ مَلِيًّا فِي الفِكْرَةِ الَّتي يُرادُ الْكِتابَةُ فيها، وَعَدَمُ التَّسَرُّعِ بِالكِتابَةِ.

2. مَا عَناصِرُ بِناءِ الْمُذَكَّراتِ الْيَوْمِيَّةِ:

أ. تَحْديدُ الزَّمانِ وَالْمَكانِ.

ب. وَصْفُ الأَحْداثِ وَالْمُشاهَداتِ.

ج. اخْتِيارُ الأُسْلوبِ الْمُناسِبِ فِي الكِتابَةِ، وَعادَةً ما يَكُونُ الأُسْلوبُ (السَّرْدِيُّ الْقَصَصِيُّ).

د. إِبْرازُ الشَّخْصِيَاتِ الْمُرْتَبِطَةِ بِالْحَدَثِ.

ه. تَرْتيبُ الأَحْداثِ فِي الْكِتابَةِ.

و. مُراعاةُ التَّرَقُّبِ وَالتَّشْويقِ.

3. مَاذا يَجِبُ أَنْ يَتَوافَرَ فِي الْمُذَكَّراتِ الْيَوْمِيَّةِ؟

أ. الإِمْتاعُ: وَيَتَحَقَّقُ مِنْ عَرْضِ الطَّرائِفِ بِأُسْلوبٍ مُشَوِّقٍ، وَتَحْقيقِ الْمِصْداقِيَّةِ وَالتَّوازُنِ.

ب. الاسْتِفادَةُ: وَتَتَحَقَّقُ مِنْ عَرْضِ مَواقِفِ التَّجارِبِ وَقُدْرَةِ الْكاتِبِ فِي مُعالَجَتِها أَوْ عَدَمِها، وَعَدَمُ الاسْتِعْلاءِ.

ج. تَسْجيلُ الأَحْداثِ الَّتي تَمُرُّ بِالْكاتِبِ أَوَّلًا بِأَوَّلٍ، وَالاحْتِفاظُ بِها.

د. تَوْثيقُ بَعْضِ الأَحْداثِ وَتَأْريخُها.

5. مَا فَوَائِدُ الْمُذَكَّرَاتِ الْيَوْمِيَّةِ:
أ. التَّعْبِيرُ عَنِ النَّفْسِ.
ب. الْكِتَابَةُ بِعَفْوِيَّةٍ.
ج. مِنَ الْمُمْتِعِ أَنْ تَقْرَأَ مُذَكَّرَاتِكَ بَعْدَ مُضِيّ فِتْرَةٍ مِنَ الزَّمَنِ.
د. تُحَسّنُ الْمَهَارَاتِ الْكِتَابِيَّةِ.
ه. تَشْعُرُ أَنَّ الْحَيَاةَ مُهِمَّةٌ وَتَسْتَحِقُّ أَنْ تُكْتَبَ.
و. فُرْصَةٌ لِمُحَاسَبَةِ النَّفْسِ.

نَمُوذَجٌ لِلْمُذَكَّرَاتِ الْيَوْمِيَّةِ:

فِي يَوْمٍ مِنْ أَيَّامِ الرَّبِيعِ، لَمْ يَكُنْ يَوْمًا كَغَيْرِهِ، بِالنّسْبَةِ لِي، فَقَدْ كَانَتْ بِدَايَتُهُ بِاللَّعِبِ وَالنَّشَاطِ، كُنْتُ أُحِبُّ مُرَاقَبَةَ الطُّيُورِ وَالْحَمَامِ خَاصَّةً أَنّي أَرَاهَا فِي الصَّبَاحِ بِكَثْرَةٍ، فَأَلْعَبُ وَأَلْهُو وَيُخَيَّلُ إِلَيَّ أَنّي سَأَمْسِكُ بِإِحْدَاهَا فَتُحَلّقُ بِي بَعِيدًا...وَهَكَذَا حَتّى يَسْتَيْقِظَ جَمِيعُ مَنْ فِي الْبَيْتِ وَتَدْعُونِي أُمّي لِطَعَامِ الإِفْطَارِ...كُنْتُ أُصِرُّ عَلَى الْجُلُوسِ بَيْنَ أُمّي وَأَبِي، فِي كُلّ مَرَّةٍ كُنْتُ أَفُوزُ بِهَذَا الْمَكَانِ الْمُمَيَّزِ فِي نَظَرِي!!! فِي ذَلِكَ الْيَوْمِ وَبَعْدَ الإِفْطَارِ تَحْدِيدًا تَنَاهَى إِلَى سَمْعِي أَنَّ وَالِدِي يُحَدّثُ وَالِدَتِي عَنِ السَّفَرِ... سَنُسَافِرُ لِمِصْرَ...كَانَتْ مُفَاجَأَةً رَائِعَةً بِالنّسْبَةِ لَنَا، سَنُقَابِلُ أَهْلَنَا... بِالْفِعْلِ كَانَ أَرْوَعَ خَبَرٍ يَحْمِلُهُ لَنَا ذَلِكَ الصَّبَاحِ. قَفَزْنَا أَنَا وَإِخْوَتِي فَرَحًا، وَعَانَقَ بَعْضُنَا بَعْضًا بِكُلّ بَرَاءَةٍ... شَخْصٌ وَاحِدٌ لَمْ يُسْعِدْهُ الْخَبَرُ... وَلَمْ يَطْرَبْ لَهُ... إِنَّهُ أَخِي الأَكْبَرُ...

التّطبيقُ:

أَسْتَنْتِجُ عَنَاصِرَ الْمُذَكَّرَاتِ الْيَوْمِيَّةِ مِنْ خِلَالِ قِرَاءَتِي لِلنَّمُوذَجِ السَّابِقِ:

أ...

ب...

ج...

د...

ه...

فِي التَّعْبِيرِ الْوَظِيفِيِّ: الرِّسَالَةُ الشَّخْصِيَّةُ

الرِّسَالَةُ الشَّخْصِيَّةُ هِيَ: خِطَابٌ لِشَخْصٍ أَوْ جِهَةٍ لِتَوْصِيلِ مَعْلُومَةٍ مُعَيَّنَةٍ، أَوْ لِدَعْوَةِ شَخْصٍ أَوْ أَكْثَرَ لِحُضُورِ مُنَاسَبَةٍ.

نَمُوذَجٌ: أَكْتُبُ رِسَالَةً لِصَدِيقِي أُخْبِرُهُ فِيهَا أَنَّنِي سَأَذْهَبُ بِصُحْبَةِ أُسْرَتِي لِزِيَارَتِهِ فِي الْعُطْلَةِ.

نَصُّ الرِّسَالَةِ:

2 / يناير / 2014 م

مَسِيسَاغَا / كَنَدَا **350** شَارِع (هُورِنْتَارِيُو)

إِلَى صَدِيقِي الْعَزِيزِ آدَمَ:

تَحِيَّةً طَيِّبَةً وَبَعْدُ:

أُرْسِلُ لَكَ صَدِيقِي آدَمَ وَلِأُسْرَتِكَ الْكَرِيمَةِ رِسَالَتِي هَذِهِ مُحَمَّلَةً بِأَرَقِّ التَّحِيَّاتِ مِنِّي وَمِنْ أُسْرَتِي، وَيُسْعِدُنِي أَنْ أُعَبِّرَ لَكُمْ عَنْ عَظِيمِ شَوْقِنَا لِلِقَائِكُمْ، وَالاجْتِمَاعِ بِكُمْ، لِنَتَذَاكَرَ مَا بَيْنَ أُسْرَتَيْنَا مِنْ ذِكْرَيَاتٍ جَمِيلَةٍ، حَيْثُ سَتَحْضُرُ أُسْرَتُنَا لِطَرَفِكُمْ بَعْدَ شَهْرٍ مِنْ تَارِيخِ هَذِهِ الرِّسَالَةِ، آمَلُ أَنْ يَدُومَ تَوَاصُلُنَا حَتَّى نَطْمَئِنَّ دَائِمًا عَنْ أَحْوَالِكُمْ، تَحِيَّاتُنَا لِلْجَمِيعِ.

الْمُرْسِلُ / أحمد

أُوتَاوَا / كَنَدَا / **56**/ شَارِع (.........)

عَنَاصِرُ الرِّسَالَةِ:

مِنْ خِلَالِ التَّأَمُّلِ فِي الرِّسَالَةِ السَّابِقَةِ أَجِبْ عَنِ الأَسْئِلَةِ الآتِيَةِ لِتُحَدِّدَ عَنَاصِرَ الرِّسَالَةِ:

1. مَا الْمَكْتُوبُ فِي أَعْلَى صَفْحَةِ الرِّسَالَةِ عَلَى الْجِهَةِ الْيُمْنَى؟

....

2. بِمَاذَا بَدَأَتِ الرِّسَالَةُ؟

....

3. مَا الْمَوْضُوعُ الَّذي تَنَاوَلَتْهُ الرِّسَالَةُ؟

....

4. مَا الْهَدَفُ مِنَ الرِّسَالَةِ؟

....

5. هَلْ حُدِّدَ مَوْعِدُ الزِّيَارَةِ؟

....

6. مَاذَا كُتِبَ فِي نِهَايَةِ الرِّسَالَةِ عَلَى الْجِهَةِ الْيُسْرَى؟

....

الاسْتِنْتَاجُ:

تَتَأَلَّفُ عَنَاصِرُ الرِّسَالَةِ الشَّخْصِيَّةِ مِمَّا يَأْتِي:

1. تَارِيخُ الإِرْسَالِ.

2. اسْمُ الْمُرْسِلِ وَعِنْوَانُهُ.

3. التَّحِيَّةُ.

4. صُلْبُ الرِّسَالَةِ أَوْ مَوْضُوعِهَا: (وَهُوَ هُنَا : تَحِيَّاتٌ – تَعْبِيرٌ عَنِ الشَّوْقِ لِلِّقَاءِ – هَدَفُ الزِّيَارَةِ – مَوْعِدُ الزِّيَارَةِ – أُمْنِيَاتٌ ...)

5. اسْمُ الْمُرْسَلِ إِلَيْهِ وَعِنْوَانِهِ (وَيُكْتَبُ عَلَى الْجِهَةِ الْيُسْرَى).

مَلْحُوظَةٌ: مِنْ شُرُوطِ صِحَّةِ الرِّسَالَةِ أَنْ يَكُونَ مَوْضُوعُهَا وَاضِحًا، وَمُحَدَّدًا، وَمُخْتَصَرًا قَدْرَ الإِمْكَانِ، كَمَا يَجِبُ أَنْ تَكُونَ عَنَاصِرُهَا مُرَتَّبَةً كَمَا هُوَ مُبَيَّنٌ سَابِقًا.

الأُمُّ الْمِثالِيَّةُ

مِمّا لا شَكَّ فيهِ أَنَّ الأُمَّ لَها مَكانَةٌ عَظيمَةٌ وَمَنْزِلَةٌ سامِيَةٌ في الْحَياةِ، فَهِيَ مَصْدَرُ السَّعادَةِ وَيُنْبوعُ الْحَنانِ وَرَيْحانَةُ كُلِّ بَيْتٍ وَبِدونِها لا تَحْلو لَنا الْحَياةُ وَلا يَكونُ لَها أَيُّ طَعْمٍ.

حَقًّا إِنَّ الأُمَّ الْمِثالِيَّةَ نَموذَجٌ لِكُلِّ الأُمَّهاتِ اللّاتي يَرْغَبْنَ في نَيْلِ هَذا الشَّرَفِ الْعَظيمِ وَهَذِهِ الْمَكانَةِ الْمَرْموقَةِ وَإِلَيْكَ هَذِهِ الْقِصَّةَ الَّتي تُرْوى عَنْ أُمٍّ مِثالِيَّةٍ حَتّى نَأْخُذَ مِنْها الْعِظَةَ وَالْعِبْرَةَ وَعَدَمَ الْيَأْسِ في الْحَياةِ وَنُحَطِّمَ كَلِمَةَ مُسْتَحيلٍ بِالصَّبْرِ وَالشَّجاعَةِ وَالإِيمانِ. فَهُناكَ امْرَأَةٌ حَصَلَتْ عَلى مُؤَهِّلٍ مُتَوَسِّطٍ في بِدايَةِ شَبابِها وَعَمِلَتْ بِمَكْتَبِ خَدَماتٍ إِعْلامِيَّةٍ بِإِحْدى الشَّرِكاتِ وَتَزَوَّجَها أَحَدُ الْمُوَظَّفينَ وَعاشا مَعًا حَياةً كُلُّها سَعادَةٌ وَحُبٌّ وَمَوَدَّةٌ حَتّى رَزَقَها اللهُ وَلَدَيْنِ وَبِنْتٍ وَضَرَبَ بِحَياتِهِما الْمَثَلُ في الْهُدوءِ وَالاسْتِقْرارِ، حَتّى كانَ الْقَدَرُ بِهَذِهِ الأُسْرَةِ قاسِيًا إِذْ تُوُفِّيَ الزَّوْجُ في حادِثٍ أَليمٍ حَزِنَتِ الأُمُّ عَلى وَفاةِ زَوْجِها وَانْصَرَفَ الأَهْلُ عَنْ مُساعَدَةِ هَذِهِ الأُسْرَةِ بَعْدَ نَفادِ مُكافَأَةِ نِهايَةِ الْخِدْمَةِ فَأَعْلَنَتْ هَذِهِ الأُمُّ تَحَمُّلَها لِلْمَسْؤولِيَّةِ وَالانْفاقِ عَلى أَوْلادِها حَتّى تَصِلَ بِهِمْ إِلى بَرِّ الأَمانِ.

وَبِالْفِعْلِ تَغَلَّبَتِ الأُمُّ عَلى كُلِّ مَشاكِلِ الْحَياةِ وَزَهِدَتْ في الدُّنْيا بِكُلِّ ما فيها مِنْ وَسائِلِ الإِغْراءِ وَالانْحِرافِ وَراعَتْ رَبَّها في أَوْلادِها وَاشْتَرَتْ آلَةَ خِياطَةٍ لِلْمَلابِسِ وَراحَتْ تَعْمَلُ نَهارًا في الْمَكْتَبِ وَلَيْلًا في حِياكَةِ الْمَلابِسِ وَعَرْضِها لِلْبَيْعِ فَأَقْبَلَ النّاسُ عَلَيْها مِنْ كُلِّ مَكانٍ لِشِراءِ مُنْتَجاتِها وَأَصْبَحَتْ تَمْتَلِكُ مَصْنَعًا لِحِياكَةِ الْمَلابِسِ وَلَها عُمَلاءُ يُرَوِّجونَ لَها هَذِهِ الْمُنْتَجاتِ وَذاعَ صيتُها وَأَنْفَقَتْ عَلى أَوْلادِها وَوَفَّرَتْ لَهُمْ جَميعًا كُلَّ مُتَطَلَّباتِهِمْ حَتّى تَخَرَّجوا مِنَ الْجامِعاتِ وَعَمِلوا أَعْمالًا مُشَرِّفَةً في مَجالِ الطِّبِّ وَالْهَنْدَسَةِ وَالتَّعْليمِ. مِنْ هُنا كانَتْ بِدايَةُ حَياةِ الأُمِّ حَيْثُ كَرَّمَتْها الدَّوْلَةُ بِمَنْحِها لَقَبَ الأُمِّ الْمِثالِيَّةِ عَلى مُسْتَوى الْجُمْهورِيَّةِ لأَنَّها أَدَّتِ الأَمانَةَ وَحَمَلَتِ الرِّسالَةَ بَعْدَ وَفاةِ زَوْجِها بِإِتْقانٍ.

وَهَذِهِ دَعْوَةٌ صَريحَةٌ لِكُلِّ أُمٍّ مَهْما تَعَرَّضَتْ لِلصِّعابِ أَنْ تَحْذُوَ حَذْوَ هَذِهِ الأُمِّ الْمِثالِيَّةِ حِفاظًا عَلى أَوْلادِها.

26

الْمُحافظَةُ علَى الْبيئَةِ وَخُطورَةُ التّلوُّثِ

ما أَجْمَلَ النَّظافَةَ وَما أَقْبَحَ التَّلوُّثَ وَما أَبْشَعَ مَصادِرَهُ، فَاللهُ تَعالَى جَميلٌ يُحبُّ الْجَمالَ، فَعِنْدَمَا خَلقَ اللهُ تَعالَى الْبيئَةَ خَلقَهَا فِي أَبْهَى صُورَةٍ: فَهَذِهِ طُيورٌ تُغرّدُ بِأَعْذبِ الأَلْحَانِ، وَهَذِهِ أَنْهارٌ جارِيَةٌ بِمائِهَا الْعَذْبِ الصَّافِي، وَهَذا هَواءٌ نَقِيٌّ نَتنَفَّسُهُ عَليلًا يَشْفِي الْمَريضَ، وَكَذلِكَ الشَّمْسُ الَّتِي تَقْتُلُ بِحَرارَتِهَا جَميعَ الْبكْتيرِيَا وَالْجَراثِيمِ، وَالأَمْطارُ الَّتِي تَغْسلُ الْكَوْنَ مِنَ الأَتْرِبَةِ، وَالرِّياحُ الَّتِي تَحْمِلُ الْغازَاتِ السَّامَّةَ إِلَى أَمَاكِنَ بَعيدَةٍ وَلَكِنَّ الإِنْسانَ بِجَهْلِهِ وَعَدَمِ إِدْراكِهِ لَوَّثَ الْبِيئَةَ وَقَتَلَ نَفْسَهُ بِنَفْسِهِ وَأَصْبَحَ هُوَ الْجَانِي فِي حَقِّ الْبِيئَةِ.

أَتدْرُونَ لِمَاذَا؟

لِأَنَّ الإِنْسَانَ لَمْ يَسِرْ وِفْقَ الْفِطرَةِ السَّليمَةِ الَّتِي خَلقَهُ اللهُ عَلَيْهَا، وَلِأَنَّهُ تَجاهَلَ أَنَّ اللهَ سَخَّرَ لَهُ هَذِهِ الْبيئَةَ لِيَأْكُلَ مِنْ ثِمارِهَا وَيَرْتَوِيَ بِمَائِهَا الصَّافِي وَيَحْيَا حَيَاةً هَادِئَةً آمِنَةً لَا تَشُوبُهَا شَائِبَةٌ مَا دَامَ يَسِيرُ وِفْقَ الْفِطْرَةِ السَّليمَةِ. وَالإِنْسانُ هُوَ الْمَسْؤُولُ الأَوَّلُ عَنْ كُلِّ مَا يَحْدُثُ لَهُ مِنْ أَخْطارٍ.

أَمَّا عَنْ مَصادِرِ التَّلوُّثِ وَما يَنْتُجُ عَنْهَا مِنْ كَوارِثَ فَحَدِّثْ وَلَا حَرَجَ، مِنْهَا التَّدْخينُ وَعَوادِمُ السَّيّاراتِ وَالأَبْخِرَةُ وَالْغازَاتُ وَحَرْقُ الْقُمامَةِ، كُلُّ ذَلِكَ يَنْتُجُ عَنْهُ الإِصابَةُ بِأَمْراضِ الدَّمِ وَالصَّدْرِ وَالسَّرطَانِ وَالْقَلْبِ وَالشَّرايِينِ وَتَسمُّمِ الدَّمِ، لِذلِكَ أَصْدَرَتْ بَعْضُ الدُّوَلِ قَانُونًا يَمْنَعُ التَّدْخِينَ فِي كُلِّ الْمُؤَسَّسَاتِ الْحُكُومِيَّةِ وَالْمُواصَلاتِ الْعامَّةِ.

وَمِنْ مَصادِرِ التَّلوُّثِ أَيْضًا الْقُمامَةُ وَالْقاذُوراتُ فِي مَدارِسِنَا وَشَوارِعِنَا مِمَّا تُهَدِّدُ حَياتَنَا بِالأَوْبِئَةِ وَالأَمْراضِ كَالْحُمَّى وَالْمَلارْيَا وَغَيْرِهَا... كَذلِكَ تَلْويثُ الْمِياهِ بِفَضَلاتِ الإِنْسانِ وَالْحَيَوانَاتِ النَّافِقَةِ وَالْكيمياوِيَاتِ مِمَّا يُهَدِّدُ حَياتَنَا بِمَرَضِ الْكَبِدِ وَالتِّيفُوئيدِ وَأَمْراضِ الْكُلَى، أَضِفْ إِلَى ذَلِكَ الإِشْعاعَ النَّوَوِيَّ وَمَا يُحْدِثُهُ مِنْ أَضْرارٍ جَسيمَةٍ عَلَى صِحَّةِ الأَطْفَالِ وَالنَّباتَاتِ فَقَدْ انْفَجَرَ جُزْءٌ بَسيطٌ مِنْ مَفاعِلِ «تشرْنُوبِيل» بِأُوكْرانيَا عاصِمَةُ الإِتّحادِ السُّوفْيَاتِيِّ سَابِقًا وَنَتَجَ عَنْهُ تَسرُّبُ هَذَا الإِشْعاعِ عَبْرَ الرِّيَاحِ وَالأَمْطارِ إِلَى دُوَلٍ تَقَعُ عَلَى بُعْدِ آلافِ الْكِيلُومِتْراتِ، وَتَرَكَ آثارًا ضَارَّةً بِصِحَّةِ الأَطْفالِ وَعَلَى الزَّرْعِ مَازَالَتْ مَوْجُودَةً حَتَّى الآنَ.

وَمِنْ مَصادرِ التَّلوُّث أيْضًا الضَّوْضاءُ وَالتّلوُّثُ السَّمْعِيُّ، وَقَدْ أثْبَتَ الْعُلَماءُ أنَّ ثَلاثَةَ أرْباعِ أمْراضِ الْعَصْرِ سَبَبُها الضَّوْضاء فَهُوَ الَّذي يُسَبِّبُ الانْفِعالاتِ وَالتَّوَتُّرِ وَالأمْراضِ النَّفْسيَّةِ وَالْعَصَبيَّةِ وَالصُّداعِ وَعُسْرِ الْهَضْمِ وَالسُّكرِ وَانْفِجارِ شَرايينِ الْمُخِّ وَالذَّبْحَةِ الصَّدْرِيَّةِ وَغَيْرِها.

لِذا يَجِبُ عَلَيْنا أنْ نَعُودَ إلَى الْفِطْرَةِ بِإتِّباعِ السُّلُوكاتِ الصِّحِّيَّةِ الصَّحيحَةِ وَعَدَمِ الْعَبَثِ وَالافْسادِ وَأنْ نَعُودَ إلَى أحْضانِ الطَّبيعَةِ السَّاحِرَةِ، كَما يَجِبُ أنْ نُحافِظَ عَلى الْبِيئَةِ بِسَنِّ قَوانينَ صارِمَةٍ لِمَنْ يَخْرُجُ عَنِ الْقانُونِ وَيُلَوِّثُها فَنُنْشِئُ الْمَصانِعَ بَعيدًا عَنِ الْمُدُنِ وَوَضْعِ مُرَشِّحاتٍ فَوْقَ الْمَداخِنِ تُنَقِّي الْهَواءَ مِنْ ثاني أُكْسيدِ الْكَرْبُون كَما يَجِبُ عَلَيْنا أنْ نَسْتَغِلَّ الْمَساحاتِ الْخَضْراءَ وَنُشَجِّرَ الْبِيئَةَ، كَمَا يَنْبَغِي أنْ نُحافِظَ عَلى عُذُوبَةِ الْماءِ بِعَدَمِ إلْقاءِ الْحَيَوانَاتِ النَّافِقَةِ فيها أوِ الْكيمياوِيّاتِ وَالْمُبيداتِ الْحَشَرِيَّةِ، وَيَنْبَغي أنْ نَبْتَعِدَ عَنِ الْمُبيداتِ الْمُسَرْطِنَةِ وَنَرْفَعُ مِنْ خُصُوبَةِ التُّرْبَةِ بِالسَّمادِ الْعُضْوِيِّ وَأنْ نُحافِظَ عَلى الْبِيئَةِ بِالْحَدِّ مِنَ الضَّوْضاءِ وَعَدَمِ اسْتِخْدامِ مُكَبِّراتِ الصَّوْتِ إلّا عِنْدَ الضَّرُورَةِ وَكَذلِكَ التَّخَلُّصِ مِنَ النُّفاياتِ وَالْقُمامَةِ بِأُسْلُوبٍ عِلْمِيٍّ وَتَرْشيدُ الاسْتِهْلاكِ وَعَدَمِ الإسْرافِ فِي الْماءِ لأنَّ نُقْطَةَ الْماءِ سَتَكُونُ أغْلى مِنَ النّفطِ فِي الْمُسْتَقْبَلِ.

إذا فَعَلْنا كُلُّ ذلِكَ عِشْنا فِي أمانٍ وَسَلامٍ وَضَمِنّا لأنْفُسِنا صِحَّةً جَيِّدَةً لأنَّ الصِّحَّةَ تاجٌ عَلى رُؤُوسِ الأصِحَّاء.

النَّحو

بَعْدَ دِراسَةِ مَوْضوعاتِ النَّحْوِ، يُنْتَظَرُ أَنْ يُحقِّقَ الطّالِبُ نَواتِجَ التَّعَلُّمِ التّالِيَةِ:

- الْقُدْرَةُ عَلى اسْتِخْدامِ الْمُعْجَمِ الْوَجيزِ بِكَفاءَةٍ.
- التَّعَرُّفُ إِلى أَنْواعِ الْخَبَرِ في الْجُمْلَةِ الاسْمِيَّةِ.
- إِعْرابُ الأَفْعالِ الْمُضارِعَةِ الْمَرْفوعَةِ وَالْمَنْصوبَةِ.
- التَّعَرُّفُ إِلى الأَفْعالِ الْخَمْسَةِ، وَإِعْرابِها.
- الْقُدْرَةُ عَلى التَّعَرُّفِ عَلى صِياغَةِ اسْمِ الْفاعِلِ، مِنَ الثُّلاثِيِّ، وَمِنْ أَكْثَرِ مِنَ الثُّلاثِيِّ.
- الْقُدْرَةُ عَلى التَّعَرُّفِ عَلى صِياغَةِ اسْمِ الْمَفْعولِ، مِنَ الثُّلاثِيِّ، وَمِنْ أَكْثَرِ مِنَ الثُّلاثِيِّ.
- التَّمَكُّنُ مِنْ تَحْديدِ نائِبِ الْفاعِلِ وَإِعْرابِهِ.
- الْقُدْرَةُ إِلى الْمَفْعولِ لأَجْلِهِ، وَإِعْرابِهِ.
- الْقُدْرَةُ إِلى الْحالِ الْمُفْرَدِ، وَتَحْديدُ صاحِبِ الْفاعِلِ، أَوِ الْمَفْعولِ بِهِ، وَإِعْرابِهِ.
- التَّمْييزُ بَيْنَ الاسْمِ الصَّحيحِ وَالْمَقْصورِ وَالْمَنْقوصِ وَالْمَمْدودِ.

2

النّحو

الْبَحْثُ فِي الْمُعجَمِ الْوَجِيزِ

التَّوْضِيحُ:

تَعْرِيفُ الْمُعْجَمِ	أَنْوَاعُ الْمَعَاجِمِ وَطَرِيقَةُ التَّرْتِيبِ	طَرِيقَةُ الْكَشْفِ	حُرُوفُ اللُّغَةِ الْعَرَبِيَّةِ
الْمُعْجَمُ: هُوَ كِتَابٌ رُتِّبَتْ فِيهِ أَلْفَاظُ اللُّغَةِ الْعَرَبِيَّةِ بِطَرِيقَةٍ يَسْهُلُ بِهَا الْحُصُولُ عَلَى الْكَلِمَةِ وَمَعْرِفَةِ مَعَانِيهَا وَأُصُولِهَا وَاشْتِقَاقَاتِهَا الْمُخْتَلِفَةِ.	النَّوْعُ الأَوَّلُ: يُرَتِّبُ الْكَلِمَاتِ وِفْقَ تَرْتِيبِ حُرُوفِ الْكَلِمَةِ بَدْءًا مِنَ الْحَرْفِ الأَوَّلِ وَيُسَمَّى بَابُ الْكَلِمَةِ، وَيُثَنَّى بِالْحَرْفِ الَّذِي يَلِيهِ وَيُسَمَّى فَصْلٌ، وَيُثَلَّثُ بِالْحَرْفِ الَّذِي بَعْدَهُ. وَتُرَتَّبُ الأَبْوَابُ فِي الْمُعْجَمِ الْوَجِيزِ وِفْقَ التَّرْتِيبِ الأَبْجَدِيِّ لِلْحُرُوفِ وَعَدَدُهَا (28) حَرْفًا وَمِنْ أَشْهَرِ هَذَا النَّوْعِ: مُخْتَارُ الصِّحَاحِ وَهُوَ مُعْجَمٌ قَدِيمٌ، وَالْمُعْجَمُ الْوَسِيطُ وَهُوَ مُعْجَمٌ حَدِيثٌ، وَالْمُعْجَمُ الْوَجِيزُ وَهُوَ مُعْجَمٌ حَدِيثٌ. النَّوْعُ الثَّانِي: يَخْتَلِفُ عَنِ النَّوْعِ الأَوَّلِ فِي أَنَّ الْبَابَ يَبْدَأُ فِيهِ مِنَ الْحَرْفِ الأَخِيرِ، وَيُثَنِّي بِفَصْلِ الْحَرْفِ الأَوَّلِ ثُمَّ الثَّانِي، وَمِنْ أَشْهَرِ مَعَاجِمِ هَذَا النَّوْعِ: (الْقَامُوسُ الْمُحِيطُ – لِسَانُ الْعَرَبِ).	* نَفْتَحُ الْمُعْجَمَ الْوَجِيزَ عَلَى بَابِ الْحَرْفِ الأَوَّلِ مِنَ الْكَلِمَةِ، ثُمَّ فَصْلِ الْحَرْفِ الثَّانِي ثُمَّ الثَّالِثِ. *إِذَا كَانَ وَسَطُ الْفِعْلِ أَوْ آخِرُهُ أَلِفًا نَرُدُّهَا إِلَى أَصْلِهَا الْوَاوِ أَوِ الْيَاءِ، ثُمَّ نَكْشِفُ كَمَا فِي الْخُطْوَةِ السَّابِقَةِ. * إِذَا كَانَ فِي الْفِعْلِ حُرُوفُ زِيَادَةٍ نُجَرِّدُهَا. *إِذَا كَانَتِ الْكَلِمَةُ جَمْعًا نَرُدُّهَا إِلَى الْمُفْرَدِ.	التَّرْتِيبُ الْهِجَائِيُّ لِلْحُرُوفِ وَعَدَدُهَا (28) حَرْفًا (أ – ب – ت – ث – ج – ح – خ – د – ذ – ر – ز – س – ش – ص – ض – ط – ظ – ع – غ – ف – ق – ك – ل – م – ن – هـ – و – ي).

مَنْهَجُ الْمُعْجَمِ الْوَجِيزِ

جاءَ في مُقدّمَة الْمُعْجَم الْوَجيز الّذي أَصْدَرَهُ مُجمّعُ اللُّغَة الْعَرَبِيَّة سَنَةَ **2003**:

يَتلخّصُ الْمَنْهَجُ الّذي نَهجَتْهُ اللّجْنَةُ في تَرْتيب مَوادّ الْمُعْجم فيمَا يَأْتي:

قُدّمَ الْمَعْنَى الْحسّيّ عَلى الْمَعْنَى الْعَقْليّ، وَالْحَقيقيّ عَلى الْمَجازيّ، كَما قُدّمَت الأَفْعَالُ عَلى الأَسْماء، وَقُدّمَ الثُّلاثيّ مِنْها عَلى الرُّبَاعيّ، وَالْمُجرّدِ عَلى الْمَزيد، وَاللّازِم عَلى الْمُتَعدّي، وَرُوعِيَ في تَرْتيبِها ما يَلي:

أ. الثُّلاثيُّ الْمُجرَّدُ.

ب. الثُّلاثيُّ الْمَزيدُ بِحَرْف.

ج. الثُّلاثيُّ الْمَزيدُ بِحَرْفَيْن.

د. الثُّلاثيُّ الْمَزيدُ بِثَلاثَة أَحْرُف.

ه. الرُّبَاعيُّ الْمُجرَّدُ.

و. الرُّبَاعيُّ الْمَزيدُ بِحَرْف.

ز. الرُّبَاعيُّ الْمَزيدُ بِحَرْفَيْن.

ح. مُضَعَّفُ الرُّبَاعيّ.

ط. مَا أُلْحِقَ بِالرُّبَاعيّ مِنْ أَوْزَان.

أَمّا الرُّمُوزُ الّتي اسْتَعْمَلَتْها اللّجْنَةُ في هَذا الْمُعْجَم فَهِيَ:

1. (*): لأَوّلِ الْمادَّة.
2. (ج): لِبَيَان الْجَمْع.
3. (جج): لِبَيَان جَمْع الْجَمْع.
4. (ـُـ ـَـ ـِـ): لِبَيَان ضَبْط عَيْن الْمُضارِع بِالْحَرَكَةِ الّتي تُوضَعُ فَوْقَها، أَوْ تَحْتَها.
5. (و–): لِلدّلالَة عَلى تِكْرار الْكَلمَة لِمَعْنَى جَديد.

أَمّا مَنْهَجُهُ في تَرْتيب مَوادّه، فَهُوَ الْمَنْهَجُ الّذي ارْتَضاهُ الْمُجمّعُ في مُعْجَمَيْه الْكَبير وَالْوَسيط: صُنّفَتْ اللُّغَةُ مَوادَّ، أَي أُصولًا (أَوْ كَما يُسَمّيها الْمُحْدَثُونَ جُذورًا وَمَداخِلَ)، وَرُتّبَتْ هَذه الأُصولُ – عَلى حَسَب أَوائِلِها – وِفْقَ الْحَرْف الأَوّلِ فالثّاني فَالثّالث مِنْ حُرُوف الْهِجاء.

فَإِذَا أَرادَ الطّالِبُ مُراجعَةَ مَعْنًى في هَذا الْمُعْجَم، فَعَلَيْه أَنْ يَنْظُرَ في الْكَلمَة الّتي يُريدُ الْكَشْفَ عَنْ مَعْناها:

فَإِنْ كَانَتْ فِعْلًا رَدَّ صُورَتَهُ الَّتِي صَادَفَهُ عَلَيْهَا إِلَى أَصْلِ بِنَائِهِ، ثُلَاثِيًّا كَانَ أَوْ رُبَاعِيًّا، ثُمَّ طَلَبَهُ فِي تَرْتِيبِ حُرُوفِ هَذَا الأَصْلِ، فَمِثْلَ «آذَنَ»، وَ«تَأَذَّنَ»، وَ«اسْتَأْذَنَ»، بِرَدِّهَا إِلَى أَصْلِهَا، فَيَطْلُبُهَا فِي «أَذِنَ»، وَ«انْتَصَرَ» وَ«اسْتَنْصَرَ» فِي (نَصَرَ)، وَمِثْلَ «اسْتَوَى» فِي (سَوَى) وَ«احْلَوْلَى» فِي (حَلَا».

أَمَّا إِنْ كَانَتِ اسْمًا: فَإِنْ كَانَ مُشْتَقًّا -أَيْ مَأْخُوذًا مِنْ غَيْرِهِ- فَإِنَّهُ يُرُدُّهُ إِلَى أَصْلِهِ الْمَأْخُوذِ مِنْهُ، ثُلَاثِيًّا كَانَ أَوْ رُبَاعِيًّا، وَيَطْلُبُهُ فِي تَرْتِيبِ حُرُوفِ هَذَا الأَصْلِ.

فَمَثَلًا: «الْمُؤَذِّن» وَ«الْمَأْذُون» يَطْلُبُهُمَا فِي (أَذِنَ) وَ«الأَدِيب» وَ«الْمَأْدُبَة» يَطْلُبُهما فِي «أدب»، وَ«الأَدِيم» فِي «أدم»، وَ«الإِبَاض» وَ«الْمَأْبِض» وَ«الإِبَاضِيَّة» يَطْلُبُهَا فِي «أَبض»، وَهَكَذَا. وَيُطْلَبُ مِثْلَ «الْقِرْطَاس» فِي «قرطس»، وَ«الْجِلْبَاب» فِي «جلبب»، وَ «الْجُمْهُور» فِي «جَمْهَر»، وَهَكَذَا.

التَّطْبِيقُ:

1. أَضَعُ إِشَارَةَ (صح) أَمَامَ الْعِبَارَةِ الصَّحِيحَةِ، وَإِشَارَةَ (خطأ) أَمَامَ الْعِبَارَةِ غَيْرِ الصَّحِيحَةِ فِيمَا يَلِي:

أ. (   ) الْمُعْجَمُ كِتَابٌ يَتَنَاوَلُ مَوْضُوعَاتٍ مُخْتَلِفَةً.

ب. (   ) يُرَتِّبُ الْمُعْجَمُ الْوَجِيز كَلِمَاتِهِ وِفْقَ تَرْتِيبِ الْحُرُوفِ الْهِجَائِيَّةِ.

ج. (   ) عَدَدُ حُرُوفِ اللُّغَةِ الْعَرَبِيَّةِ (28) حَرْفًا.

د. (   ) أَوَّلُ حَرْفٍ فِي الْكَلِمَةِ يُسَمَّى بَابٌ، وَثَانِي حَرْفٍ يُسَمَّى فَصْلٌ.

2. أَكْتُبُ حُرُوفَ اللُّغَةِ الْعَرَبِيَّةِ وِفْقَ تَرْتِيبِهَا الْهِجَائِيِّ.

....

....

3. أَكْتُبُ طَرِيقَةَ الْكَشْفِ عَنْ مَعْنَى كَلِمَةِ (كَتَبَ) فِي الْمُعْجَمِ الْوَجِيزِ.

....

4. أَنْقُلُ مَعْنَى الْكَلِمَتَيْنِ التَّالِيَتَيْنِ كَمَا هُوَ مَكْتُوبٌ فِي الْمُعْجَمِ الْوَجِيزِ (سَعِدَ – وَفَدَ).

....

5. أُرَتِّبُ الْكَلِمَاتِ التَّالِيَةَ وِفْقَ وُرُودِهَا فِي الْمُعْجَمِ الْوَجِيزِ (صَعِدَ – قَرَأَ – مَسَحَ – رَسَمَ)

....

أَنْوَاعُ الْخَبرِ فِي الْجُملةِ الاسْميَّةِ

الأَمْثِلَةُ:

1. النَّهْرُ طَوِيلٌ.
2. الْقَارِبُ يَجْرِي فِي النَّهْرِ.
3. النَّهْرُ مِيَاهُهُ دَافِقَةٌ.
4. رِحْلَةٌ فِي النَّهْرِ.
5. شَجَرَةٌ فَوْقَ الْجَبَلِ.

الْقَاعِدَةُ:

الْخَبَرُ مُفْرَدٌ	اسْمٌ	النَّهْرُ طَوِيلٌ	الْخَبَرُ كَلِمَةٌ (طَوِيلٌ) وهُوَ اسْمٌ مُفْرَدٌ
الْخَبَرُ جُمْلَةٌ	جُمْلَةٌ فِعْلِيَّةٌ	الْقَارِبُ يَجْرِي فِي النَّهْرِ	الْخَبَرُ جُمْلَةٌ (يَجْرِي فِي النَّهْرِ) وَهُوَ جُمْلَةٌ فِعْلِيَّةٌ
	جُمْلَةٌ اسْمِيّةٌ	النَّهْرُ مِيَاهُهُ دَافِقَةٌ	الْخَبَرُ جُمْلَةٌ (مِيَاهُهُ دَافِقَةٌ) وَهُوَ جُمْلَةٌ اسْمِيّةٌ
الْخَبَرُ شِبْهُ جُمْلَةٍ	جَارٌ وَمَجْرُورٌ	رِحْلَةٌ فِي النَّهْرِ	الْخَبَرُ (فِي النَّهْرِ) وَهُوَ شِبْهُ جُمْلَةٍ جَارٌ وَمَجْرُورٌ
	ظَرْفٌ	شَجَرَةٌ فَوْقَ الْجَبَلِ	الْخَبَرُ (فَوْقَ الْجَبَلِ) وَهُوَ شِبْهُ جُمْلَةٍ ظَرْفُ مَكَانٍ

التَّوْضِيحُ:

-لَوْ نَظَرْنَا إِلَى الأَمْثِلَةِ السَّابِقَةِ لَوَجَدْنَا أَنَّ الْخَبَرَ فِي الْمَجْمُوعَةِ الأُولَى مُفْرَدٌ، وَهُو كَلِمَةُ (طَوِيلٌ) وَهُوَ يَدُلُّ عَلَى اسْمٍ مُفْرَدٍ.

-وَفِي الْمَجْمُوعَةِ الثَّانِيَةِ نَجِدُ أَنَّ الْخَبَرَ جُمْلَةٌ: إِمَّا جُمْلَةٌ اسْمِيَّةٌ كَمَا فِي (مِيَاهُهُ دَافِقَةٌ)، أَوْ جُمْلَةٌ فِعْلِيَّةٌ كَمَا فِي (يَجْرِي فِي النَّهْرِ). وَفِي هَذِهِ الْحَالَةِ يَجِبُ أَنْ يَتَضَمَّنَ الْخَبَرُ ضَمِيرًا يَعُودُ عَلَى الْمُبْتَدَأ.

-وَفِي الْمَجْمُوعَةِ الثَّالِثَةِ نَجِدُ أَنَّ الْخَبَرَ، إِمَّا جَارٌ وَمَجْرُورٌ كَمَا فِي (فِي النَّهْرِ)، أَوْ ظَرْفُ مَكَانٍ كَمَا فِي (فَوْقَ الْجَبَلِ).

نَمُوذَجٌ في الإعْرَابِ:

الرِّياضَةُ فَوائِدُها كَثيرَةٌ.

الرِّياضَةُ: مُبْتَدَأٌ أَوَّلٌ مَرْفُوعٌ وَعَلامَةُ رَفْعِهِ الضَّمَّةُ.

فَوائِدُها: مُبْتَدَأٌ ثانٍ مَرْفُوعٌ وَعَلامَةُ رَفْعِهِ الضَّمَّةُ، وَالْهاءُ مُضافٌ إِلَيْهِ مَبْنِيٌّ عَلى الضَّمِّ في مَحَلِّ جَرٍّ.

كَثيرَةٌ: خَبَرُ الْمُبْتَدَأ الثّاني مَرْفُوعٌ وَعَلامَةُ رَفْعِهِ الضَّمَّةُ، وَالْجُمْلَةُ مِنَ الْمُبْتَدَأ الثّاني وَخَبَرُهُ في مَحَلِّ رَفْعٍ خَبَرٌ لِلْمُبْتَدَأ الأَوَّلِ.

الفائِزُ فَوْقَ الْمِنَصَّةِ.

الفائِزُ: مُبْتَدَأٌ مَرْفُوعٌ وَعَلامَةُ رَفْعِهِ الضَّمَّةُ.

فَوْقَ: ظَرْفُ مَكانٍ مَنْصُوبٌ بِالْفَتْحَةِ وَهُوَ مُضافٌ.

الْمِنَصَّةِ: مُضافٌ إِلَيْهِ مَجْرُورٌ بِالْكَسْرَةِ. وَشِبْهُ الْجُمْلَةِ في مَحَلِّ رَفْعٍ خَبَرُ الْمُبْتَدَأ.

الْخُلاصَةُ:

الْخَبَرُ ثَلاثَةُ أَقْسامٍ: مُفْرَدٌ وَجُمْلَةٌ وَشِبْهُ جُمْلَةٍ.

الْخَبَرُ الْمُفْرَدُ، هُوَ ما لَيْسَ بِجُمْلَةٍ وَلا شِبْهَ جُمْلَةٍ، وَيَكُونُ جامِدًا أَوْ مُشْتَقًّا.

الْخَبَرُ الْجُمْلَةُ، قَدْ تَكُونُ اسْمِيَّةً أَوْ فِعْلِيَّةً.

الْخَبَرُ شِبْهُ الْجُمْلَةِ، هُوَ الْجارُّ وَالْمَجْرُورُ أَوِ الظَّرْفُ.

التَّطْبيقُ:

1. أَضَعُ إِشارَةَ (صح) أَمامَ الْعِبارَةِ الصَّحيحَةِ، وَإِشارَةَ (خَطَأ) أَمامَ الْعِبارَةِ غَيْرِ الصَّحيحَةِ فيما يَلي:

أ. ( ) تَتَكَوَّنُ الْجُمْلَةُ الاسْمِيَّةُ مِنَ الْمُبْتَدَأ وَالْخَبَرِ.

ب. ( ) خَبَرُ الْمُبْتَدَأ عِنْدَما يَكُونُ جُمْلَةً اسْمِيَّةً يَشْتَمِلُ عَلى ضَميرٍ يَعُودُ عَلى الْمُبْتَدَأ.

ج. ( ) خَبَرُ الْمُبْتَدَأ الْمُفْرَدُ يَتَضَمَّنُ ضَميرًا يَعُودُ عَلى الْمُبْتَدَأ.

د. ( ) يُقْصَدُ (بِشِبْهِ الْجُمْلَةِ)، الْجارُّ وَالْمَجْرُورُ أَوِ الظَّرْفُ.

2. أُعَيِّنُ فِي الْعِبَارَاتِ الآتِيَةِ خَبَرَ كُلِّ مُبْتَدَأٍ ثُمَّ أَذْكُرُ نَوْعَهُ:

	الْجُمْلَةُ	خَبَرُ الْمُبْتَدَأِ	نَوْعُ الْخَبَرِ
1	اللّاعِبُ يَقْذِفُ الْكُرَةَ.		
2	الرِّيَاضَةُ مُفِيدَةٌ.		
3	الْمُشَجِّعُونَ فِي الْمَلْعَبِ.		
4	الْمُتَفَرِّجُونَ أَمَامَ التِّلْفَازِ.		

3. أَضَعُ فِي الْمَكَانِ الْخَالِي مِمَّا يَأْتِي مُبْتَدَأً مُنَاسِبًا:

أ. .... يَسْبَحُ فِي النَّهْرِ.

ب. .... أَغْصَانُهَا مُورِقَةٌ.

ج. .... بَيْنَ السَّحَابِ.

4. أَضَعُ فِي الْمَكَانِ الْخَالِي مِنَ الْجُمْلَةِ الْأُولَى خَبَرًا مُفْرَدًا، وَمِنَ الْجُمْلَةِ الثَّانِيَةِ جُمْلَةً فِعْلِيَّةً، وَمِنَ الْجُمْلَةِ الثَّالِثَةِ جُمْلَةً اسْمِيَّةً، وَمِنَ الْجُمْلَةِ الرَّابِعَةِ شِبْهَ جُمْلَةٍ.

أ. الْكُرَةُ .... ب. الْمُبَارَاةُ ....

ج. الْحَكَمُ .... د. اللَّجْنَةُ ....

5. أُعْرِبُ مَا تَحْتَهُ خَطٌّ فِي الْجُمْلَتَيْنِ الآتِيَتَيْنِ:

أ. الْحَدِيقَةُ ثِمَارُهَا لَذِيذَةٌ. ب. رِحْلَةٌ فِي النَّهْرِ.

ثِمَارُهَا: ....

لَذِيذَةٌ: ....

النَّهْرِ: ....

الْفِعْلُ الْمُضارِعُ الْمَرْفُوعُ وَالْمَنْصُوبُ

الْقَاعِدَةُ:

يُرْفَعُ الْفِعْلُ الْمُضارِعُ	يُنْصَبُ الْفِعْلُ الْمُضارِعُ	حُرُوفُ نَصْبِ الْفِعْلِ الْمُضارِعِ
إِذَا تَجَرَّدَ مِنَ النَّوَاصِبِ وَالْجَوازِمِ، وَمِنْ كُلِّ مَا يُوجِبُ بِناءَهُ، مِثْلُ: يَنْزِلُ الْمَطَرُ.	إِذَا تَقَدَّمَهُ أَحَدُ الْحُرُوفِ النَّاصِبَةِ.	أَنْ - لَنْ - كَيْ (لِكَيْ) - إِذَنْ - لَامُ التَّعْلِيلِ - حَتَّى - لَامُ التَّوْكِيدِ - فَاءُ السَّبَبِيَّةِ...

الأَمْثِلَةُ:

رَفْعُ الْفِعْلِ الْمُضارِعِ	نَصْبُ الْفِعْلِ الْمُضارِعِ	
1. تُقَامُ الْمُسابَقَتانِ فِي نَفْسِ السَّنَةِ.	1. أُرِيدُ أَنْ أَتَعَلَّمَ.	2. لَنْ يَجُودَ الْبَخِيلُ.
2. يَنالُ الرِّياضِيُّ الْفائِزُ الْمِيدالِيَّةَ الذَّهَبِيَّةَ.	3. إِذَنْ تَبْلُغَ الْقَصْدَ.	4. اُدْرُسْ كَيْ تَحْفَظَ.
	5. خُذِ الدَّواءَ لِتَبْرَأَ.	6. مَا كُنْتُ لأَنْقُضَ الْعَهْدَ.
	7. سِرْ حَتَّى تَبْلُغَ الْجَبَلَ.	8. لَا تَقْرَبِ الشَّرَّ فَتَقَعَ فِيهِ.

التَّوْضِيحُ وَالاسْتِنْتاجُ:

1. الْفِعْلُ الْمُضارِعُ يَكُونُ دائِمًا مَرْفُوعًا إِذَا لَمْ يُسْبَقْ بِأَيِّ حَرْفٍ مِنْ حُرُوفِ النَّصْبِ أَوِ الْجَزْمِ، كَمَا فِي مِثالَيْ الْمَجْمُوعَةِ الأُولَى: (يَكْتُبُ - يَلْعَبُ).

2. يُنْصَبُ الْفِعْلُ الْمُضارِعُ مَتَى تَقَدَّمَهُ أَحَدُ الْحُرُوفِ النَّاصِبَةِ.

أ. الْفِعْلُ (أَتَعَلَّمَ): فِعْلٌ مُضارِعٌ مَنْصُوبٌ تَقَدَّمَهُ حَرْفُ (أَنْ)، وَعَلامَةُ نَصْبِهِ الْفَتْحَةُ.

ب. الْفِعْلُ (يَجُودَ) فِعْلٌ مُضارِعٌ مَنْصُوبٌ تَقَدَّمَهُ حَرْفُ (لَنْ)، وَعَلامَةُ نَصْبِهِ الْفَتْحَةُ.

ج. الْفِعْلُ (تَبْلُغَ) فِعْلٌ مُضَارِعٌ مَنْصُوبٌ تَقَدَّمَهُ حَرْفُ (إِذَنْ)، وَعَلَامَةُ نَصْبِهِ الْفَتْحَةُ.

د. الْفِعْلُ (تَحْفَظَ) فِعْلٌ مُضَارِعٌ مَنْصُوبٌ تَقَدَّمَهُ حَرْفُ (كَيْ)، وَعَلَامَةُ نَصْبِهِ الْفَتْحَةُ.

ه. الْفِعْلُ (تَبْرَأَ) فِعْلٌ مُضَارِعٌ مَنْصُوبٌ تَقَدَّمَهُ حَرْفُ (لَامُ التَّعْلِيلِ)، وَعَلَامَةُ نَصْبِهِ الْفَتْحَةُ.

و. الْفِعْلُ (أَنْقُضَ) فِعْلٌ مُضَارِعٌ مَنْصُوبٌ تَقَدَّمَهُ حَرْفُ (لَامُ الْأَمْرِ)، وَتُسَمَّى لَامُ الْجُحُودِ، وَعَلَامَةُ نَصْبِهِ الْفَتْحَةُ.

ز. الْفِعْلُ (تَبْلُغَ) فِعْلٌ مُضَارِعٌ مَنْصُوبٌ بِـ (حَتَّى)، وَعَلَامَةُ نَصْبِهِ الْفَتْحَةُ.

ح. الْفِعْلُ (تَقَعَ) فِعْلٌ مُضَارِعٌ مَنْصُوبٌ تَقَدَّمَهُ حَرْفُ (فَاءُ السَّبَبِيَّةِ)، وَعَلَامَةُ نَصْبِهِ الْفَتْحَةُ.

نَمُوذَجُ إِعْرَابٍ:

أُعْرِبُ الْجُمْلَةَ الْآتِيَةَ: (لَنْ يَفُوزَ الْكَسُولُ).

لَنْ: حَرْفُ نَفْيٍ وَنَصْبٍ.

يَفُوزَ: فِعْلٌ مُضَارِعٌ مَنْصُوبٌ بِلَنْ، وَعَلَامَةُ نَصْبِهِ الْفَتْحَةُ.

الْكَسُولُ: فَاعِلٌ مَرْفُوعٌ وَعَلَامَةُ رَفْعِهِ الضَّمَّةُ.

الْخُلَاصَةُ:

الْفِعْلُ الْمُضَارِعُ فِعْلٌ يَدُلُّ عَلَى حَدَثٍ يَتِمُّ فِي وَقْتِ التَّكَلُّمِ، يَكُونُ الْفِعْلُ الْمُضَارِعُ مَرْفُوعًا إِذَا لَمْ يُسْبَقْ بِحَرْفٍ نَاصِبٍ أَوْ جَازِمٍ.

يُنْصَبُ الْفِعْلُ الْمُضَارِعُ إِذَا سُبِقَ بِأَحَدِ الْحُرُوفِ النَّاصِبَةِ (أَنْ، لَنْ، إِذَنْ، كَيْ، حَتَّى، لَامُ الْجُحُودِ)، مِثَالٌ: لَمْ أَكُنْ لِأَذْهَبَ لَوْ عَلِمْتُ أَنَّكَ آتٍ، لَامُ التَّعْلِيلِ، وَفَاءُ السَّبَبِيَّةِ.

التَّطْبيقُ:

1. أَخْتارُ الإِجابَةَ الصَّحيحَةَ مِمَّا يَأْتي:

أ. يُرْفَعُ الْفِعْلُ الْمُضارِعُ إِذا سَبَقَهُ أَحَدُ الْحُرُوفِ التَّالِيَةِ: (أَنْ – لَنْ). (   )

ب. يُرْفَعُ الْفِعْلُ الْمُضارِعُ إِذا لَمْ يَسْبُقْهُ أَيُّ حَرْفٍ ناصِبٍ أَوْ جازِمٍ. (   )

ج. يَكُونُ الْفِعْلُ الْمُضارِعُ مَنْصوبًا إِذا سُبِقَ بِحَرْفٍ ناصِبٍ. (   )

د. عَلامَةُ نَصْبِ الْفِعْلِ الْمُضارِعِ الْمَسْبُوقِ بِحَرْفٍ ناصِبٍ الضَّمُّ. (   )

ه. الْفَتْحَةُ هِيَ عَلامَةُ نَصْبِ الْفِعْلِ الْمُضارِعِ الْمَسْبُوقِ بِحَرْفِ نَصْبٍ. (   )

2. أُكْمِلُ الْفَراغَ فِي الْجَدْوَلِ التَّالي وِفْقَ الْمِثالِ:

الْجُمْلَةُ	الْمُضارِعُ الْمَرْفُوعُ	عَلامَةُ الرَّفْعِ	سَبَبُ الرَّفْعِ	الْمُضارِعُ الْمَنْصُوبُ	عَلامَةُ النَّصْبِ	سَبَبُ النَّصْبِ
يَتَنافَسُ اللّاعِبانِ.	يَتَنافَسُ	الضَّمَّةُ	لَمْ يُسْبَقْ بِحَرْفِ نَصْبٍ			
أَرْغَبُ أَنْ أُشارِكَ فِي الْمُباراةِ.						
اجْتَهَدْتُ كَيْ أَنالَ الْجائِزَةَ.						
الْعَبْ حَتّى تَفُوزَ.						

3. أُعْرِبُ الْكَلِمَةَ الْمُلَوَّنَةَ فِي الْجُمَلِ الآتِيَةِ:

أ. يَنالُ الْفائِزُ مِيدالِيَّةً ....

ب. لا تَقْرُبِ الشَّرَّ فَتَقَعَ فِيهِ ....

ج. لَنْ يَنْتَصِرَ الْكَسُولُ عَلَى الْمُجْتَهِدِ ....

الأَفْعَالُ الْخَمْسَةُ

الأَفْعَالُ الْخَمْسَةُ: أفعَالٌ مُضارِعَةٌ، تَتّصلُ بِألِفِ الْمُثَنّى، (يَفْعَلانِ – تفْعَلانِ)، وَبِواوِ الْجماعَةِ (يَفْعَلُونَ – تَفْعَلُونَ)، وَبِياءِ الْمُخاطَبَةِ (تفْعَلِينَ).

الأَمْثِلَةُ:

1. الْفَائِزُونَ بِالأُوسْكَارِ يَحْصُلُونَ عَلى الْجَوَائِزِ. الْبِنْتَانِ تَدْرُسَانِ بِاجْتِهادٍ.

الفَائِزانِ يَنالانِ الْجَوائِزَ. أنتُمْ تَلْعَبُونَ بِمَهارةٍ.

أنْتِ تَقْفِزِينَ بِمَهارَةٍ.

2. الْكِتابانِ يَتَحدَّثانِ عَنِ الرِّياضَةِ.

3. الْمُهْمِلانِ لَنْ يَفُوزَا فِي الْمُسابَقَةِ. 4. الْمُتَفَرّجُونَ لَمْ يَعُودُوا مُبكّرِينَ. 5. تُصْبِحِينَ على خَيْرٍ.

أَفْعَالٌ مَرْفُوعَةٌ بِثُبُوتِ النُّونِ	أَفْعَالٌ مَنْصُوبَةٌ بِحَرْفِ نَصْبٍ	أَفْعَالٌ مَجْزُومَةٌ بِحَرْفِ جَزْمٍ	أَفْعَالٌ تُعْرَبُ اسْمًا لِفِعْلٍ نَاسِخٍ
يَحْصُلُون	لَنْ يُبادِرَا	لَمْ يَعُودُوا	تُصْبِحِين
تَدْرُسَانِ			
يَلْعَبُونَ			
تَلْعَبُونَ			
تَكْتُبِيــنَ			

كَيْفَ تُعْرَبُ الأَفْعَالُ الْخَمْسَةُ؟

أ. تُرْفَعُ بِثُبوتِ النُّونِ: **فِعْلٌ مُضارِعٌ مَرْفُوعٌ بِثُبُوتِ النُّونِ، وَلا تُعْرَبُ بِالْحَرَكاتِ.**

(أَمْثِلَةُ الْمَجْمُوعَةِ الأُولَى + الْمِثالِ رَقْم 2)

ب. تُنْصَبُ وَتُجْزَمُ بِحَذْفِ النُّونِ: **فِعْلٌ مُضارِعٌ مَنْصوبٌ أَوْ مَجْزُومٌ بِحَذْفِ النُّونِ، كَمَا فِي: (الْمِثالَيْنِ 3+4)**

ج. تُعْرَبُ (الْوَاوَ – الأَلِفَ – الْيَاءَ): فَاعِلاً مَعَ الْفِعْلِ الْمَعْلُومِ، وَنَائِبًا لِلْفَاعِلِ مَعَ الْفِعْلِ الْمَجْهُولِ وَاسْمًا لِلْفِعْلِ النَّاسِخِ (كَمَا فِي الْمِثَالِ رَقْم 5).

الْخُلاصَةُ:

•الأَفْعَالُ الْخَمْسَةُ هِيَ كُلُّ فِعْلٍ مُضَارِعٍ اتَّصَلَ بِهِ:

–أَلِفُ الاثْنَيْنِ: الْمُخَاطَبَيْنِ (أَنْتُمَا) وَالْغَائِبَيْنِ (هُمَا)

–وَاوُ الْجَمَاعَةِ: الْمُخَاطَبِينَ (أَنْتُمْ) وَالْغَائِبِينَ (هُمْ)

–يَاءُ الْمُخَاطَبَةِ: أَنْتِ

*تُعْرَبُ الأَفْعَالُ الْخَمْسَةُ بِالْحُرُوفِ، حَيْثُ تُرْفَعُ بِثُبُوتِ النُّونِ فِي نِهَايَةِ الْفِعْلِ الْمُضَارِعِ.

*وَتُنْصَبُ وَتُجْزَمُ بِحَذْفِ النُّونِ مِنْ آخِرِ هَذِهِ الأَفْعَالِ.

الأَفْعَالُ الْخَمْسَةُ هِيَ أَفْعَالٌ مُضَارِعَةٌ مُسْنَدَةٌ إِلَى الضَّمَائِرِ الْخَمْسَةِ السَّابِقَةِ.

التَّطْبِيقُ:

1. أَسْتَخْرِجُ الأَفْعَالَ الْخَمْسَةَ مِنَ الْفِقْرَةِ الآتِيَةِ:

لِكُلِّ نَوْعٍ مِنَ الصَّدَاقَاتِ سِمَاتٌ وَخَصَائِصُ، وَلَكِنِ احْذَرْ بُنَيَّ مِمَّنْ يَدَّعُونَ صَدَاقَتَكَ وَيُضْمِرُونَ الإِسَاءَةَ لَكَ، فَهُمْ يَتَظَاهَرُونَ بِمَحَبَّتِكَ، وَأَنْتِ بُنَيَّتِي، لَا تَثِقِي بِأَحَدٍ إِلَّا مَنْ تَعَامَلْتِ مَعَهُ. كَيْ تُصْبِحِي بِخَيْرٍ، فَمَا أَجْمَلَ صَدَاقَةَ الأَوْفِيَاءِ فِي هَذَا الزَّمَانِ!

....

....

2. أَضَعُ الأَفْعَالَ الْمُضَارِعَةَ الآتِيَةَ فِي مَكَانِهَا الصَّحِيحِ مِمَّا يَأْتِي:

تَدْرُسَانِ – يَعُودُونَ – تَنْهَضُونَ – تَجْلِسِي

أ. الطُّلَّابُ.................. مِنَ الْمَدْرَسَةِ.　　ب. أَنْتُمْ.................. مِنْ نَوْمِكُمْ مُبَكِّرِينَ.

ج. أَحْبَبْتُ أَنْ .... فِي الْفَصْلِ بِهُدُوءٍ.　　د. أَنْتُمَا.................. بِمَهَارَةٍ.

3. أُصَنِّفُ الْأَفْعَالَ الْمُضَارِعَةَ الْآتِيَةَ فِي الْجَدْوَلِ الْآتِي، وِفْقَ الْمِثَالَ:

يَنْهَضَانِ – يَلْعَبُونَ – تَدْرُسِينَ – لَنْ تَرْجِعُوا – تُصْبِحِينَ – لَمْ تَعُودُوا – تَكْتُبِينَ – تَنَامُونَ – تَعُودَانِ – كَيْ تَعُودَا – لَا تَتَكَلَّمَا – يُفْهَمَانِ – يَذْهَبَانِ

مُضَارِعٌ الْيَاءُ فِيهِ اسْمٌ لِفِعْلٍ نَاسِخٍ	مُضَارِعٌ الْأَلِفُ فِيهِ نَائِبُ فَاعِلٍ	مُضَارِعٌ مَجْزُومٌ بِحَذْفِ النُّونِ	مُضَارِعٌ فَاعِلُهُ مَرْفُوعٌ بِالْأَلِفِ	مُضَارِعٌ مَنْصُوبٌ بِحَذْفِ النُّونِ	مُضَارِعٌ فَاعِلُهُ مَرْفُوعٌ بِالْوَاوِ
تُصْبِحِينَ	يُفْهَمَانِ	لَمْ تَعُودُوا	يَنْهَضَانِ	لَنْ تَرْجِعُوا	يَلْعَبُونَ

4. أُعْرِبُ مَا تَحْتَهُ خَطٌّ فِي الْجُمَلِ الْآتِيَةِ:

أ. الْمُتَسَابِقُونَ يَنَامُونَ مُبَكِّرِينَ.

....

ب. أَنْتِ تَفْهَمِينَ قَوَاعِدَ اللُّعْبَةِ.

....

ج. الْمُنَظِّمُونَ لِلْمُبَارَاةِ لَمْ يَنْسُوا وَاجِبَهُمْ.

....

د. أَحْبَبْتُ أَنْ تَلْعَبُوا بِمَهَارَةٍ.

....

هـ. الْمُحْتَرِفَانِ يُصَوِّبَانِ الْأَهْدَافَ بِدِقَّةٍ.

....

اسْمُ الفَاعِلِ

اسمُ الْفَاعِلِ: اسْمٌ مَصُوغٌ لِلدَّلَالَةِ عَلَى مَنْ فَعَلَ الْفِعْلِ، وَهُوَ مِنَ الفِعْلِ الثُّلَاثِيِّ عَلَى صُورَةِ (فَاعِل)، وَمِنْ غَيْرِ الثُّلَاثِيِّ عَلَى صُورَةِ مُضارِعِه بِإِبْدَالِ حَرْفِ الْمُضَارَعَةِ مِيمًا مُضْمُومَةً وَكَسْرِ مَا قَبْلَ الآخِرِ.

الْمَجْمُوعَةُ الأُولَى:

1. صَدَقَ الْوَلَدُ مَعَ أمِّه ⟵ الْوَلَدُ صَادِقٌ مَعَ أمِّه.

2. نَدِمَتْ أُخْتِي عَنْ عَدَمِ مُسَاعَدَتِهَا لِأُمِّي ⟵ أُخْتِي نَادِمَةٌ عَنْ عَدَمِ مُسَاعَدَتِهَا لِأُمِّي.

الْمَجْمُوعَةُ الثَّانِيَةُ:

1. أحَبَّتِ الْبِنْتُ وَالِدَيْهَا ⟵ الْبِنْتُ مُحِبَّةٌ لِوَالِدَيْهَا.

2. انْقَطَعَ التَّوَاصُلُ بَيْنَ الصَّدِيقَيْنِ ⟵ التَّوَاصُلُ مُنْقَطِعٌ بَيْنَ الصَّدِيقَيْنِ

التَّوْضِيحُ:

1. فِي الْكَلِمَاتِ (صَادِق – نَادِمَة)، نُلَاحِظُ أَنَّ كُلًّا مِنْهُمَا تَدُلُّ عَلَى فَاعِلِ الْفِعْلِ، فَصَادِقٌ تَدُلُّ عَلَى فَاعِلِ الصِّدْقِ، وَنَادِمَةٌ تَدُلُّ عَلَى فَاعِلِ النَّدَمِ، وَهِيَ عَلَى وَزْنِ (فَاعِلٍ)، وَمِنْ أَجْلِ ذَلِكَ تُسَمَّى كُلُّ كَلِمَةٍ مِنْ هَذِهِ الْكَلِمَاتِ (اسْمِ فَاعِلٍ). وَكَذَلِكَ كَلِمَةُ «صَادِق» مَأْخُوذَةٌ مِنَ الْفِعْلِ (صَدَق)، وَكَلِمَةُ (نَادِمَة) مَأْخُوذَةٌ مِنَ الْفِعْلِ (نَدِمَتْ)، وَهِيَ أَفْعَالٌ ثُلَاثِيَّةٌ.

2. فِي الْكَلِمَاتِ (مُحِبَّة – مُنْقَطِع) نُلَاحِظُ أَنَّهَا أَيْضًا تَدُلُّ عَلَى فَاعِلِ الْفِعْلِ، لَكِنَّهَا مَأْخُوذَةٌ مِنْ أَفْعَالٍ أَكْثَرَ مِنْ ثَلَاثَةِ حُرُوفٍ، وَلِذَلِكَ عِنْدَ إِيجَادِ اسْمِ الْفَاعِلِ مِنْهَا، أَتَيْنَا بِالْمُضَارِعِ أَوَّلًا، ثُمَّ اسْتَبْدَلْنَا يَاءَ الْمُضَارَعَةِ مِيمًا مَضْمُومَةً، ثُمَّ كَسَرْنَا الْحَرْفَ الَّذِي قَبْلَ الأَخِيرِ.

الْخُلَاصَةُ: يُشْتَقُّ اسْمُ الْفَاعِلِ مِنَ الْفِعْلِ لِلدَّلَالَةِ عَلَى وَصْفِ مَنْ قَامَ بِالْفِعْلِ، وَيُصَاغُ مِنَ الْفِعْلِ الثُّلَاثِيِّ عَلَى وَزْنِ (فَاعِلٍ)، وَمِنَ الْفِعْلِ غَيْرِ الثُّلَاثِيِّ عَلَى وَزْنِ الْفِعْلِ الْمُضَارِعِ مَعَ إِبْدَالِ حَرْفِ الْمُضَارَعَةِ مِيمًا مَضْمُومَةً وَكَسْرِ مَا قَبْلَ الآخِرِ.

التَّطْبِيقُ:

1. أُعَيِّنُ كُلَّ اسْمِ فاعِلٍ في الْعِبارَةِ الآتِيَةِ، وَأُبَيِّنُ ما كانَ فِعْلُهُ ثُلاثِيًّا، وَما كانَ فِعْلُهُ غَيْرَ ثُلاثِيٍّ:

لِلضَّوْءِ وَالظُّلْمَةِ تَأْثيرٌ ظاهِرٌ في صِحَّةِ الإِنْسانِ، فَالَّذي يَسْكُنُ مَنْزِلًا مُظْلِمًا لا تَمْلَؤُهُ الشَّمْسُ، يُرى وَجِسْمُهُ ذابِلٌ وَلَوْنُهُ شاحِبٌ. وَضَوْءُ الشَّمْسِ مُفيدٌ مِنْ وُجوهٍ عِدَّةٍ، فَهُوَ مُجَفِّفٌ لِلْهَواءِ، مُبيدٌ لِجَراثيمِ الأَمْراضِ، مُساعِدٌ في تَقْليلِ الرُّطوبَةِ.

اسْمُ فاعِلٍ فِعْلُهُ ثُلاثِيٌّ:..

اسْمُ فاعِلٍ فِعْلُهُ غَيْرِ ثُلاثِيٍّ:...

2. أُكْمِلُ الْجُمَلَ الآتِيَةَ بِوَضْعِ اسْمِ فَاعِلٍ في الْمَكانِ الْفارِغِ:

أ. كانَ الإِناءُ ....

ب. ظَنَنْتُ الشَّمْسَ ....

ج. رَأَيْتُ الزُّجاجَ ....

د. رَأَيْتُ الشَّجَرَةَ ....

3. أَذْكُرُ الأَفْعالَ الْماضِيَةَ وَالأَفْعالَ الْمُضارِعَةَ لِكُلِّ اسْمِ فاعِلٍ فِيما يَأْتي:

أ. مُنْطَلِق ....

ب. ذاهِب ....

ج. مُخْلِص ....

4. أُكَوِّنُ مِنْ عِنْدي ما يَأْتي:

أ. جُمْلَتَيْنِ اسْمُ الْفاعِلِ فِيهِما فِعْلُهُ ثُلاثِيٌّ:

....

....

ب. جُمْلَتَيْنِ اسْمُ الْفاعِلِ فِيهِما فِعْلُهُ غَيْرُ ثُلاثِيٍّ:

....

....

اسْمُ المَفْعُولِ

اسْمُ الْمَفْعُولِ: اسْمٌ مَصُوغٌ لِلدَّلَالَةِ عَلَى مَنْ وَقَعَ عَلَيْهِ فِعْلُ الْفَاعِلِ، فَهُوَ مِنَ الثُّلَاثِيّ عَلَى صُورَةِ (مَفْعُولٍ)، وَمِنْ غَيْرِ الثُّلَاثِيّ عَلَى صُورَةِ اسْمِ الْفَاعِلِ مَعَ فَتْحِ مَا قَبْلَ الآخِرِ، بَدَلًا مِنْ كَسْرِهِ.

الْمَجْمُوعَةُ الأُولَى:

1. شَرِبْتُ الْحَلِيبَ.   1. الْحَلِيبُ مَشْرُوبٌ.

2. فَتَحْتُ الْبَابَ.   2. الْبَابُ مَفْتُوحٌ.

الْمَجْمُوعَةُ الثَّانِيَةُ:

4. أَكْرَمْتُ الضَّيْفَ.   4. فَالضَّيْفُ مُكْرَمٌ.

5. عَاقَبْتُ الْمُذْنِبَ.   5. فَالْمُذْنِبُ مُعَاقَبٌ.

التَّوْضِيحُ:

1. أَنْظُرُ إِلَى الْكَلِمَاتِ فِي الأَمْثِلَةِ السَّابِقَةِ (مَشْرُوبٌ – مَفْتُوحٌ)، وَكَذَلِكَ الْكَلِمَاتُ (مُكْرَمٌ – مُعَاقَبٌ)، تَجِدُ كُلًّا مِنْهَا يَدُلُّ عَلَى الْمَفْعُولِ الَّذِي وَقَعَ عَلَيْهِ الْفِعْلُ الْمَفْهُومُ مِنَ الْكَلِمَةِ، فَمَشْرُوب يَدُلُّ عَلَى شَيْءٍ وَقَعَ عَلَيْهِ الشُّرْبُ، وَكَلِمَةُ مُعَاقَبٌ يَدُلُّ عَلَى شَخْصٍ وَقَعَ عَلَيْهِ الْعِقَابُ.

2. وَإِذَا تَأَمَّلْتَ الأَفْعَالَ فِي أَمْثِلَةِ الْقِسْمِ الأَوَّلِ، تَجِدُ أَنَّهَا أَفْعَالٌ ثُلَاثِيَّةٌ (شَرِبَ – فَتَحَ)، وَأَنَّ اسْمَ الْمَفْعُولِ مِنْهَا جَاءَ عَلَى صُورَةِ (مَفْعُولٍ)، أَمَّا فِي الْقِسْمِ الثَّانِي، فَإِنَّكَ تَجِدُ أَنَّهَا أَفْعَالٌ أَكْثَرَ مِنْ ثَلَاثَةِ حُرُوفٍ (أَكْرَمَ – عَاقَبَ) وَلِذَلِكَ صِيغَ اسْمُ الْمَفْعُولِ مِنْهَا بِاسْتِبْدَالِ يَاءِ الْمُضَارَعَةِ مِيمًا وَفَتْحِ مَا قَبْلَ الآخِرِ (يُكْرِمُ = مُكْرَمٌ ، يُعَاقِبُ مُعَاقَبٌ).

الْخُلَاصَةُ:

اسْمُ الْمَفْعُولِ هُوَ اسْمٌ مُشْتَقٌّ مِنَ الْفِعْلِ الْمُضَارِعِ الْمُتَعَدِّي الْمَبْنِي لِلْمَجْهُولِ، وَهُوَ يَدُلُّ عَلَى وَصْفِ مَنْ يَقَعُ عَلَيْهِ الْفِعْلُ، وَيُصَاغُ مِنَ الْفِعْلِ الثُّلَاثِيّ عَلَى وَزْنِ (مَفْعُولٍ)، وَمِنْ غَيْرِ الثُّلَاثِيّ عَلَى وَزْنِ الْمُضَارِعِ مَعَ إِبْدَالِ حَرْفِ الْمُضَارَعَةِ مِيمًا مَضْمُومَةً وَفَتْحِ مَا قَبْلَ الآخِرِ.

التَّطْبيقُ:

1. أُعَيِّنُ كُلَّ اسْمِ مَفْعُولٍ فِيمَا يَأْتي، وَأُبَيِّنُ ما كانَ فِعْلُهُ ثُلاثيًّا، وَمَا كَانَ فِعْلُهُ غَيْرَ ثُلاثيّ عَلى وِفْقِ الْمِثالِ:

عَلى كُلِّ إنْسانٍ أَنْ يَكُونَ لَهُ فِي مَنْزِلِهِ مَكانٌ مُعَدٌّ لاسْتِقْبالِ الزَّائِرِينَ، وَلَيْسَ وَاجِبًا أَنْ يَكُونَ هَذا الْمَكَانُ مَفْرُوشًا بِفاخِرِ الأثاثِ، وَإِنَّهُ يَكْفِي أَنْ يَكُونَ نَظِيفًا، مَقْبُولًا، مُرَتَّبًا، وَيُحْسَنُ أَنْ يَكُونَ مُؤَثَّثًا، إنْ كَانَ ذَلِكَ مُسْتَطاعًا.

اسْمُ الْمَفْعُولِ	فِعْلُهُ	نَوْعُهُ
مَفْرُوشًا	فَرِشَ	ثُلاثِيٌّ

2. أَضَعُ اسْمَ الْمَفْعُولِ فِي مَكانِهِ الْمُناسِبِ فِي الْجُمَلِ التَّالِيَةِ:

(مَفْتُوحَةً – مُشْرِقَةٌ – مُغْلَقًا – مُتْعَبًا)

أ. الشَّمْسُ......................

ب. ذَهَبْتُ لأَفْتَحَ الْبابَ فَوَجَدْتُهُ.......................

ج. رَأَيْتُ الْعامِلَ ....

د. أَبْقَيْتُ النَّوافِذَ ....

3. أَصُوغُ مِنْ كُلِّ فِعْلٍ مِنَ الأَفْعالِ الآتِيَةِ اسْمَ مَفْعُولٍ، وَأَسْتَعْمِلُهُ فِي جُمْلَةٍ مُفِيدَةٍ:

احْتَرَمَ:...

مَنَعَ ....

سَاعَدَ...

قَطَعَ...

نَائِبُ الْفَاعِلِ

نَائِبُ الْفَاعِلِ: هُوَ اسْمٌ مَرْفُوعٌ قُدِّمَ عَلَيْهِ فِعْلٌ مَبْنِيٌّ لِلْمَجْهُولِ، وأُسْنِدَ إِلَيْهِ.

الأَمْثِلَةُ:

(أ)	(ب)
1. نَشَرَتِ الْحَرْبُ الدَّمَارَ.	1. نُشِرَ الدَّمَارُ.
2. هَدَّدَتِ الْكَوَارِثُ الْبَشَرِيَّةَ.	2. هُدِّدَتِ الْبَشَرِيَّةُ.
3. قَدَّمَ الأَغْنِيَاءُ هِبَاتٍ.	3. قُدِّمَتْ هِبَاتٌ
4. اسْتَخْرَجَ الْمُنْقِذُونَ النَّاجِينَ.	4. أُسْتُخْرِجَ النَّاجُونَ.

التَّوْضِيحُ:

1. الأَمْثِلَةُ السَّابِقَةُ تُظْهِرُ أَنَّ الْمَجْمُوعَةَ (أ) تَتَأَلَّفُ مِنْ جُمَلٍ فِعْلِيَّةٍ، فِعْلُهَا مَبْنِيٌّ لِلْمَعْلُومِ، (نَشَرَتِ- هَدَّدَتِ – قَدَّمَ – اسْتَخْرَجَ)، وَفَاعِلُهَا مَرْفُوعٌ بِالضَّمَّةِ (الْحَرْبُ – الْكَوَارِثُ – الأَغْنِيَاءُ – الْمُنْقِذُونَ)، وَفِيهَا مَفْعُولٌ بِهِ وَاحِدٌ مَنْصُوبٌ بِالْفَتْحَةِ (الدَّمَارَ – الْبَشَرِيَّةَ – هِبَاتٍ – النَّاجِينَ).

2. وَأَنَّ الْمَجْمُوعَةَ (ب) تَتَأَلَّفُ مِنْ جُمَلٍ، بُنِيَ فِيهَا الْفِعْلُ الْمَبْنِيُّ لِلْمَعْلُومِ إِلَى مَبْنِيّ لِلْمَجْهُولِ (نُشِرَ – هُدِّدَتِ – قُدِّمَتْ – أُسْتُخْرِجَ)، ثُمَّ حُذِفَ الْفَاعِلُ، وَسَدَّ مَكَانَهُ الْمَفْعُولُ بِهِ وَسُمِّيَ نَائِبًا لِلْفَاعِلِ.

3. وَإِذَا كَانَ فِي الْجُمْلَةِ مَفْعُولَانِ أَوْ أَكْثَرَ، فَإِنَّ الْمَفْعُولَ الأَوَّلَ هُوَ الَّذِي يَسُدُّ مَكَانَ الْفَاعِلِ وَيُسَمَّى نَائِبًا لِلْفَاعِلِ، وَيُصْبِحُ الْمَفْعُولُ الثَّانِي مَفْعُولًا أَوَّلًا.

نَمُوذَجُ إِعْرَابٍ: أُسْتُخْرِجَ النَّاجُونَ.

أُسْتُخْرِجَ: فِعْلٌ مَاضٍ مَبْنِيٌّ لِلْمَجْهُولِ مَبنِيّ عَلَى الْفَتْحِ.

النَّاجُونَ: نَائِبُ فَاعِلٍ مَرْفُوعٌ وَعَلَامَةُ رَفْعِهِ الْوَاوِ لِأَنَّهُ جَمْعُ مُذَكَّرٍ سَالِمٌ.

الْخُلَاصَةُ: النَّائِبُ عَنِ الْفَاعِلِ اسْمٌ يَحِلُّ مَحَلَّ الْفَاعِلِ الْمَحْذُوفِ وَيَأْخُذُ أَحْكَامَهُ، وَيَصِيرُ عُمْدَةً لَا يَصِحُّ الاسْتِغْنَاءُ عَنْهُ، وَيَكُونُ مَسْبُوقًا بِفِعْلٍ مَبْنِيٍّ لِلْمَجْهُولِ، أَمَّا حُكْمُهُ فَالرَّفْعُ.

التَّطبيق:

1. أَسْتَخْرِجُ مِمَّا يَأْتِي الْفِعْلَ الْمَبْنِيَّ لِلْمَجْهُولِ وَنَائِبَ الْفَاعِلِ وَالْمَفْعُولَ بِهِ:

لَعِبَت الصَّداقَةُ دَوْرًا كَبيرًا في تَماسُك الْمُجْتَمَع، فَقُدِّمَت الْجَوائِزُ لِلْأَصْدِقاءِ، وَشُكِرَ الْجَميعُ لِما بَذَلوهُ مِنْ جُهْدٍ، فاسْتَحَقُّوا كُلَّ تَقْديرٍ، وَقُدِّمَتْ جُهُودٌ عَظيمَةٌ لِتَقْوِيَةِ هذِهِ الصَّداقَةِ، حَتّى أَصْبَحَتْ، سُلوكًا مُمَيَّزًا بَيْنَ الْجَميع.

الْفِعْلُ الْمَبْنِيُّ لِلْمَجْهُولِ	نائِبُ الْفاعِلِ	الْمَفْعُولُ بِهِ

2. أَجْعَلُ الْفِعْلَ الْمَبْنِيَّ لِلْمَعْلُومِ، مَبْنِيًّا لِلْمَجْهُولِ، وَأُغَيِّرُ مَا يَلْزَمُ فِيمَا يَأْتِي:

أ. سَاعَدَ الْغَنِيُّ الْمُحْتاجَ. ....

ب. أَرْسَلَ الْمُوَظَّفُ الْبَريدَ. ....

ج. هَدَّدَت الْحُرُوبُ الْبَشَرِيَّةَ. ....

د. اسْتَعادَ الْقاضِي الْحَقَّ لِلْمَظْلومِ. ....

3. أُكْمِلُ مَا يَأْتِي:

أ. الْفِعْلُ الَّذي يَسْبِقُ نَائِبَ الْفَاعِلِ يُسَمَّى..

ب. الْكَلِمَةُ الَّتِي تَحُلُّ مَكانَ الْفاعِلِ تُسَمَّى..

ج. عَلامَةُ إِعْرابِ نَائِبِ الْفاعِلِ هِيَ..

د. نَوْعُ الْفِعْلِ الَّذي نَسْتَخْدِمُهُ إِذا كانَ الْفاعِلُ مَعْرُوفًا يُسَمَّى..

4. أُعْرِبُ مَا تَحْتَهُ خَطٌّ فِي الْجُمَلِ التَّالِيَةِ:

أ. فُهِمَ الْخَبَرُ..

ب. أَخَذَ الطِّفْلُ اللُّعْبَةَ..

ج. مُنِحَ الْمُنْقِذُ جائِزَةً..

الْمَفْعُولُ لِأَجْلِه:

أ. هُوَ اسْمُ مَصْدَرٍ يُذْكَرُ بَعْدَ الْفِعْلِ لِإِيضَاحِ سَبَبِه، مِثْلَ: زُيِّنَتِ الْمَدِينَةُ إِكْرَامًا لِلْفَائِزِينَ.

ب. لِكَيْ يَصِحَّ نَصْبُهُ مَفْعُولًا لِأَجْلِهِ يَجِبُ أَنْ يَكُونَ نَكِرَةً، مِثْلَ: شَرِبَ الْمَرِيضُ الدَّوَاءَ أَمَلًا فِي الشِّفَاءِ.

ج. يَجُوزُ أَنْ يَتَقَدَّمَ الْمَفْعُولُ لِأَجْلِهِ عَلَى عَامِلِه (الْفِعْلِ)، مِثْلَ: إِكْرَامًا مَنَحْتُكَ جَائِزَةً.

د. لَا يَجُوزُ أَنْ يَتَعَدَّدَ الْمَفْعُولُ لِأَجْلِه، فَلَا يُقَالُ: سَامَحْتُكَ إِشْفَاقًا عَطْفًا عَلَيْكَ.

ه. عِنْدَ وُجُودِ أَكْثَرَ مِنْ مَفْعُولٍ لِأَجْلِهِ يَجُوزُ الْعَطْفُ، مِثْلَ: سَامَحْتُكَ إِشْفَاقًا وَعَطْفًا.

التَّوْضِيحُ:

يُعَدُّ الْمَفْعُولُ لِأَجْلِهِ مِنَ الْمَفَاعِيلِ، أَيْ يَكُونُ دَائِمًا مَنْصُوبًا، كَمَا فِي الْأَمْثِلَةِ السَّابِقَةِ، وَيُوضَعُ لِإِيضَاحِ سَبَبِ حُدُوثِ الْفِعْلِ، فَفِي الْعِبَارَةِ (أ) نَجِدُ أَنَّ كَلِمَةَ (إِكْرَامًا)، كَانَتْ سَبَبًا لِتَزْيِينِ الْمَدِينَةِ.

وَالْمَفْعُولُ لِأَجْلِهِ يَكُونُ نَكِرَةً، وَيَجُوزُ أَنْ يَتَقَدَّمَ عَلَى الْفِعْلِ، كَمَا فِي الْعِبَارَةِ (ج)، كَمَا أَنَّهُ لَا يَتَعَدَّدُ فِي الْجُمْلَةِ الْوَاحِدَةِ لِأَكْثَرَ مِنْ مَفْعُولٍ لِأَجْلِه، وَيَجُوزُ الْعَطْفُ.

الْخُلَاصَةُ:

هُوَ مَصْدَرٌ يَأْتِي لِبَيَانِ سَبَبِ الْحَدَثِ الْعَامِلِ فِيه، وَلَا بُدَّ أَنْ يُشَارِكَهُ فِي الزَّمَانِ وَفِي الْفَاعِلِ، وَالْمَفْعُولِ لِأَجْلِه لَا بُدَّ أَنْ يَكُونَ مَنْصُوبًا إِلَّا إِذَا كَانَ مَسْبُوقًا بِحَرْفِ جَرٍّ.

التَّطْبِيقُ:

1. أَسْتَخْرِجُ الْمَفْعُولَ لِأَجْلِه مِنَ الْفِقْرَةِ التَّالِيَةِ:

تَنَاقَشَ الْفَرِيقَانِ فِي الْأَسْبَابِ أَمَلًا فِي الْوُصُولِ إِلَى حُلُولٍ نَاجِحَةٍ، وَكَانَتِ الْمُنَاقَشَاتُ هَادِئَةً رَغْبَةً فِي تَرْسِيخِ عَلَاقَةٍ إِيجَابِيَّةٍ بَيْنَ الطَّرَفَيْنِ، وَفِي نِهَايَةِ النِّقَاشِ تَصَافَحَا حُبًّا وَكَرَامَةً، وَعِنْدَمَا سَأَلَ أَحَدُ الْأَعْضَاءِ: لِمَاذَا ابْتَعَدْتُمْ عَنْ تَنَاوُلِ الضِّيَافَةِ؟ تَجَنُّبًا لِلسِّمْنَةِ.

....

2. أَضَعُ كُلَّ مَفْعُولٍ لِأَجْلِهِ مِمَّا يَأْتِي فِي مَكَانِهِ الصَّحِيحِ:

احْتِرَامًا – اسْتِهْتَارًا – رَغْبَةً – أَمَلًا

أ. سَهَرَتِ الْمُمَرِّضَةُ .... فِي إِنْقَاذِ الْجَرِيحِ.

ب. عُلِّقَتْ مَنَاشِيرُ صِحِّيَّةٌ .... فِي نَشْرِ الْوَعْيِ.

ج. صَمَتَ الْجَمِيعُ .... لِحُضُورِ الطَّبِيبَةِ.

د. تَهَاوَنَ الْمَرِيضُ فِي أَخْذِ دَوَائِهِ .... بِنَصَائِحِ طَبِيبِهِ.

3. أُعْرِبُ الْكَلِمَاتِ الْمُلَوَّنَةَ فِي الْجُمَلِ التَّالِيَةِ:

أ. غَضِبَ الطَّبِيبُ تَعْبِيرًا عَنْ رَفْضِهِ.

ب. تَنَاوَلَ الْمَرِيضُ الدَّوَاءَ رَغْبَةً وَحُبًّا فِي الشِّفَاءِ.

ج. حَضَنَتِ الْأُمُّ طِفْلَهَا إِشْفَاقًا.

د. لِمَاذَا رَجَعْتَ مُبَكِّرًا؟ تَجَنُّبًا لِزِحَامِ السَّيَّارَاتِ.

الْكَلِمَةُ	إِعْرَابُهَا
تَعْبِيرًا	
رَغْبَةً	
إِشْفَاقًا	
تَجَنُّبًا	

الْحَالُ

الْحَالُ: اسْمٌ مَنصُوبٌ يُبَيِّنُ هَيْئَةَ الْفَاعِلِ أَوِ الْمَفْعُولِ بِهِ، حِينَ وُقُوعِ الْفِعْلِ، وَيُسَمَّى كُلٌّ مِنَ الْفَاعِلِ، أَوِ الْمَفْعُولِ بِهِ صَاحِبُ الْحَالِ.

الأَمْثِلَةُ

(أ)	(ب)
1. عادَ الْجَيْشُ ظَافِرًا.	1. حَمَلْتُ الرِّسالَةَ مَفْتُوحَةً.
2. أَقْبَلَ الْمَظْلُومُ بَاكِيًا.	2. لا تَشْرَبِ الْماءَ كَدِرًا.
3. جَرَى الْماءُ صَافِيًا.	3. لا تَلْبِسِ الثَّوْبَ مُمَزَّقًا.

التَّوْضِيحُ:

1. اُنظُرْ إِلَى الْكَلِماتِ (ظَافِرًا – بَاكِيًا – صَافِيًا) فِي جُمَلِ الْمَجْمُوعَةِ (أ) تَجِدُهَا جَمِيعًا أَسْمَاءً مَنْصُوبَةً، وَعِنْدَ التَّأَمُّلِ فِي مَعْنَى هَذِهِ الْكَلِمَاتِ، سَتَجِدُ أَنَّ الْكَلِمَةَ الأُولَى (ظَافِرًا) وَضَّحَتْ لَنَا حَالَةَ الْجَيْشِ عِنْدَمَا عَادَ، وَكَذَلِكَ كَلِمَةَ (بَاكِيًا) وَضَّحَتْ حَالَةَ الْمَظْلُومِ، وَكَلِمَةَ (صَافِيًا)، وَضَّحَتْ حَالَةَ الْماءِ، وَتَقَعُ الْكَلِماتُ (الْجَيْشُ – الْمَظْلُومُ – الْماءُ)، فِي مَحَلِّ رَفْعِ فَاعِلٍ، وَهَذَا يَعْنِي أَنَّ الْحَالَ فِي جُمَلِ الْمَجْمُوعَةِ (أ) بَيَّنَ حَالَةَ الْفَاعِلِ.

وَفِي الْمَجْمُوعَةِ (ب) الْكَلِماتِ (الرِّسالَةَ – الْماءَ – الثَّوْبَ) وَقَعَتْ مَفْعُولًا بِهِ، وَهَذَا يَعْنِي أَنَّ الْحَالَ فِي الْمَجْمُوعَةِ الثَّانِيَةِ، (مَفْتُوحَةً – كَدِرًا – مُمَزَّقًا)، بَيَّنَ حَالَ الْمَفْعُولِ بِهِ.

2. لَوْ تَأَمَّلْنَا عَلامَةَ إِعْرَابِ الْحَالِ فِي الْجُمَلِ السَّابِقَةِ جَمِيعِهَا، لَوَجَدْنَاهَا مَنْصُوبَةً.

3. فِي الْمَجْمُوعَةِ (ب) نَجِدُ الْكَلِماتِ (مَفْتُوحَةً، كَدِرًا، مُمَزَّقًا) حَالًا لِمَفْعُولٍ بِهِ صَاحِبِ الْحَالِ (الرِّسالَةَ، الْماءَ، الثَّوْبَ).

الْخُلاصَةُ:

الْحَالُ حُكْمُهُ النَّصْبُ، يُبَيِّنُ هَيْئَةَ صَاحِبِهِ زَمَنَ وُقُوعِ الْفِعْلِ عَلَى الأَغْلَبِ.

تَتَأَلَّفُ الْجُمْلَةُ الَّتِي يَقَعُ فِيهَا الْحَالُ مِنْ ثَلاثَةِ عَناصِرَ لابُدَّ مِنْهَا، وَهِيَ:

1. الْعَامِلُ فِي الْحَالِ. (الْفِعْلُ) / 2. صَاحِبُ الْحَالِ. (الْفَاعِلُ / الْمَفْعُولُ بِهِ)

3. الْحَالُ.

التَّطْبِيقُ:

1. أَسْتَخْرِجُ الْحَالَ فِي الْفِقْرَةِ التَّالِيَةِ، ثُمَّ أُبَيِّنُ مَا كَانَ حَالًا لِلْفَاعِلِ، وَمَا كَانَ حَالًا لِلْمَفْعُولِ بِهِ:

جَاءَ وَسِيمٌ إِلَى الْمَدْرَسَةِ مُبَكِّرًا، فَتَوَجَّهَ إِلَى فَصْلِهِ مُجْتَهِدًا، وَلَمَّا جَلَسَ عَلَى مَقْعَدِهِ، أَخْبَرَ زَمِيلَتَهُ فَاطِمَةَ، أَنَّهُ حَمَلَ حَقِيبَتَهُ بِالأَمْسِ مُسْرِعًا، فَقَالَتْ لَهُ: «لَا تَنْسَ الْكِتَابَ مَفْتُوحًا»، فَبَدَا مُتَأَسِّفًا، وَقَالَ: «سَوْفَ أَنْتَبِهُ مُسْتَقْبَلًا، وَلَنْ أَتْرُكَ حَقِيبَتِي مُعَلَّقَةً فِي مَكَانٍ بَعِيدٍ».

الْحَالُ	صَاحِبُ الْحَالِ (فَاعِلٌ)	صَاحِبُ الْحَالِ (مَفْعُولٌ بِهِ)

2. أَضَعُ فِي الْمَكَانِ الْخَالِي مِمَّا يَأْتِي حَالًا ثُمَّ أَضْبُطُهُ بِالشَّكْلِ:

أ. تُعَدُّ السِّيَاحَةُ فِي كَنَدَا ....

ب. عَادَ السَّائِحُ ....

ج. رَجَعَ الْمُتَزَلِّجُونَ ....

3. أُكَوِّنُ جُمْلَتَيْنِ يَجِيءُ الْحَالُ فِي كُلٍّ مِنْهُمَا مُفْرَدًا، مُبَيِّنًا هَيْئَةَ الْفَاعِلِ:

....

....

4. أُكَوِّنُ جُمْلَتَيْنِ يَجِيءُ الْحَالُ فِي كُلٍّ مِنْهُمَا مُفْرَدًا، مُبَيِّنًا هَيْئَةَ الْمَفْعُولِ بِهِ:

....

....

5. أُعْرِبُ مَا تَحْتَهُ خَطٌّ فِيمَا يَأْتِي:

شَرِبَ الرَّجُلُ الْمَاءَ <u>بَارِدًا</u>.   حَضَرَ الطَّالِبُ <u>مُسْرِعًا</u>.

....

....

الاسْمُ الصَّحِيحُ وَالْمَقْصُورُ وَالْمَمْدُودُ وَالْمَنقُوص

الاسْمُ الصَّحِيحُ: هُوَ الاسْمُ الَّذِي لَيْسَ مَقْصُورًا وَلَا مَمْدُودًا، وَلَا مَنْقُوصًا، مِثْلَ: رَجُل – كِتَاب

الاسْمُ الْمَقْصُورُ: هُوَ الاسْمُ الْمُعْرَبُ، الَّذِي آخِرُهُ أَلِفٌ لَازِمَةٌ، مِثلَ: الْهُدَى – الْمُصْطَفَى –الْفَتَى

الاسْمُ الْمَمْدُودُ: هُوَ الاسْمُ الْمُعْرَبُ الَّذِي آخِرُهُ هَمْزَةٌ قَبْلَهَا أَلِفٍ زَائِدة، مِثْلَ: سَمَاء – بِنَاء ...

الاسْمُ الْمَنْقُوصُ: هُوَ الاسْمُ الْمُعْرَبُ الَّذِي آخِرُهُ يَاءٌ لَازِمَةٌ، غَيْرَ مُشَدَّدَةٍ، قَبْلَهَا كَسْرَة، مِثْلَ: الْقَاضِي – الْمُحَامِي

الْخُلَاصَةُ:

الاسْمُ الصَّحِيحُ: هُوَ الاسْمُ الَّذِي لَا يَكُونُ مَقْصُورًا وَلَا مَمْدُودًا، وَلَا مَنْقُوصًا، أَيْ لَيْس مُنْتَهِيًا بِأَلِفٍ لَازِمَةٍ أَصْلِيَّة، وَلَا أَلِفًا زَائِدَةً بَعْدَهَا هَمْزَة، وَلَا يَاءٍ لَازِمَةٍ، وَتَظْهَرُ عَلَيْهِ عَلَامَاتُ الإِعْرَابِ الثَّلَاثَة رَفْعًا وَنَصْبًا وَجرًّا.

يُقَسَّمُ الاسْمُ بِاعْتِبَارِ حَرْفِهِ الأَخِيرِ إِلَى مَقْصُورٍ، وَمَنْقُوصٍ، وَصَحِيح مَمْدُودٍ أَوْ غَيْرِ مَمْدُودٍ.

1. الاسْمُ الْمَقْصُورُ: هُوَ الاسْمُ الْمُعْرَبُ الَّذِي فِي آخِرِهِ أَلِفٍ لَازِمَةٍ وَتُقَدَّرُ عَلَيْهِ الْحَرَكَاتُ الثَّلَاثُ، لِأَنَّ الأَلِفَ لَا تَقْبَلُ الْحَرَكَةَ مُطْلَقًا، لِذَلِكَ نُعْرِبُهُ بِحَرَكَةٍ مُقَدَّرَة.

2. الاسْمُ الْمَنْقُوصُ: هُوَ الاسْمُ الْمُعْرَبُ الَّذِي آخِرُهُ يَاءٌ لَازِمَةٌ غَيْرَ مُشَدَّدَةٍ وَقَبْلَهَا كَسْرَةٍ، وَهَذَا الاسْمُ تُقَدَّرُ عَلَيْهِ حَرَكَتَانِ فَقَطْ هُمَا الضَّمَّةُ وَالْكَسْرَةُ.

3. الاسْمُ الصَّحِيحُ الْمَمْدُودُ: فَهُوَ كُلُّ اسْمٍ مُعْرَبٍ آخِرُهُ هَمْزَةٌ بَعْدَ أَلِفٍ زَائِدَةٍ.

التَّطْبِيقُ:

1. أَسْتَخْرِجُ كُلَّ اسْمٍ مَقْصُورٍ، وَاسْمٍ مَمْدُودٍ، وَاسْمٍ مَنْقُوصٍ مِنَ الْفِقْرَةِ التَّالِيَةِ:

دَخَلَ الْفَتَى إِلَى الْمُسْتَشْفَى، وَكَانَتِ السَّمَاءُ مُمْطِرَةً، فَاسْتَقْبَلَهُ الطَّبِيبُ بِنَاءً عَلَى حَالَتِهِ الصِّحِّيَّة، وَكَانَ فِي مُنْتَهَى الأَخْلَاقِ، حَيْثُ قَدَّمَ لَهُ الدَّوَاءَ، وَنَصَحَهُ أَنْ يَبْتَعِدَ عَنْ مُشَاهَدَةِ الرَّائِي، حَتَّى يُشْفَى تَمَامًا، فَشَكَرَهُ الْفَتَى، لَكِنَّهُ اسْتَسْمَحَ الطَّبِيبَ أَنْ يَذْهَبَ يَوْمَ الإِجَازَةِ إِلَى النَّادِي، فَوَافَقَ.

الاسْمُ الْمَقْصُورُ	الاسْمُ الْمَمْدُودُ	الاسْمُ الْمَنْقُوصُ

2. أَضَعُ إِشَارَةَ (صَحْ) أَمَامَ الْعِبَارَةِ الصَّحِيحَةِ، وَإِشَارَةَ (خَطَأ) أَمَامَ الْعِبَارَةِ غَيْرِ الصَّحِيحَةِ فِيمَا يَأْتِي:

أ. ( ) الاسْمُ الْمَقْصُورُ هُوَ اسْمٌ مُعْرَبٌ آخِرُهُ أَلِفٌ لَازِمَةٌ.

ب. ( ) الاسْمُ الْمَمْدُودُ هُوَ اسْمٌ مَبْنِيٌّ آخِرُهُ هَمْزَةٌ قَبْلَهَا أَلِفٌ زَائِدَةٌ.

ج. ( ) الاسْمُ الْمَنْقُوصُ هُوَ اسْمٌ مُعْرَبٌ آخِرُهُ يَاءٌ لَازِمَةٌ، غَيْرُ مُشَدَّدَةٍ قَبْلَهَا كَسْرَةٌ.

د. ( ) الاسْمُ الْمَمْدُودُ هُوَ اسْمٌ مُعْرَبٌ آخِرُهُ هَمْزَةٌ قَبْلَهَا أَلِفٌ زَائِدَةٌ.

3. أُصَنِّفُ الْكَلِمَاتِ التَّالِيَةَ إِلَى اسْمٍ مَقْصُورٍ، وَاسْمٍ مَمْدُودٍ، وَاسْمٍ مَنْقُوصٍ:

جَانِي – شَادِي – مُرْتَجَى – دَوَاء – هَادِي – مُقْتَدَى – سَمَاء – رَجَاء – عَادِيّ – رَاعِي

فَادِي – مُنْتَهَى – حَمْرَاء – شَقَاء – الْهَوَى – الْهُدَى – الْمُصْطَفَى

الاسْمُ الْمَقْصُورُ	الاسْمُ الْمَمْدُودُ	الاسْمُ الْمَنْقُوصُ

4. أَضَعُ فِي الْمَكَانِ الْخَالِي فِيمَا يَأْتِي اسْمًا مَقْصُورًا أَوْ مَمْدُودًا أَوْ مَنْقُوصًا:

أ. اتَّخَذَ الْمُعَلِّمُ الْقَرَارَ .... عَلَى نَتِيجَةِ الاخْتِبَارِ.

ب. نُقِلَ الْمَرِيضُ إِلَى .... لِعِلَاجِهِ.

ج. .... صَدِيقٌ وَفِيٌّ.

الإملاء

بَعْدَ دِراسَةِ مَوْضوعاتِ الإمْلاءِ، يُنْتَظَرُ أَنْ يُحقِّقَ الطَّالِبُ نَواتِجَ التَّعلُّمِ التَّالِيَةَ:

- التَّفْريقُ بَيْنَ هَمْزَةِ الْوَصْلِ وَهَمْزَةِ الْقَطْعِ.
- التَّعَرُّفُ إلى طَريقَةِ كِتابَةِ الألِفِ اللَّيِّنَةِ في الأَفْعالِ الثُّلاثِيَّةِ.
- التَّعَرُّفُ إِلى كِتابَةِ الْهَمْزَةِ الْمُتَوَسِّطَةِ عَلى أَلِفٍ.
- التَّعَرُّفُ إِلَى كِتابَةِ الْهَمْزَةِ الْمُتَوَسِّطَةِ عَلى واوٍ.
- التَّعَرُّفُ إِلَى كِتابَةِ الْهَمْزَةِ الْمُتَوَسِّطَةِ عَلَى ياءٍ.
- التَّعَرُّفُ إِلَى كِتابَةِ الْهَمْزَةِ الْمُتَطَرِّفَةِ في آخِرِ الْكَلِمَةِ.
- التَّعَرُّفُ إِلَى مَواطِنِ حَذْفِ الْواوِ مِنَ الأَفْعالِ.
- زِيادَةُ حَرْفِ الْواوِ في الْوَسَطِ في (أُولو) وَفي الآخِرِ في (عُمْرُو).
- حَذْفُ الْهَمْزَةِ في بِدايَةِ الْكَلِمَةِ (أَخَذَ – خُذْ)
- التَّدَرُّبُ عَلى اسْتِخْدامِ عَلاماتِ التَّرْقيمِ.

3

الإملاء

هَمْزَةُ الْوَصْلِ وَهَمْزَةُ الْقَطْعِ

الْهَمْزَةُ فِي أَوَّلِ الْكَلِمَةِ نَوْعَانِ: هَمْزَةُ وَصْلٍ، وَهَمْزَةُ قَطْعٍ.

هَمْزَةُ الْوَصْلِ: هِيَ أَلِفٌ زَائِدَةٌ، تُلفَظُ هَمْزَةً، وَهِيَ تُثْبُتُ نُطْقًا فِي الابْتِدَاءِ.

هَمْزَةُ الْقَطْعِ: هِيَ هَمْزَةٌ تَثْبُتُ فِي الابْتِدَاءِ وَالْوَصْلِ، وَسُمِّيَتْ هَمْزَةَ قَطْعٍ لِأَنَّهَا تَنْقَطِعُ بِاللَّفْظِ بِهَا مَا قَبْلَهَا عَمَّا بَعْدَهَا.

التَّوْضِيحُ:

	مَوَاضِعُ هَمْزَةُ الْوَصْلِ	الأَمْثِلَةُ	مَوَاضِعُ هَمْزَةُ الْقَطْعِ	الأَمْثِلَةُ
1	أَمْرُ الْفِعْلِ الثُّلاثِيِّ	اكْتُبْ – اعْمَلْ- الْعَبْ	أَلِفُ الْفِعْلِ الثُّلاثِيِّ الْمَهْمُوزِ أَوَّلِهِ فِي صُورَةِ الْمَاضِي	أَكَل – أَمَر – أَذِنَ
2	مَاضِي الْفِعْلِ الْخُمَاسِيِّ وَأَمْرِهِ	انْطَلَقَ = انْطَلِقْ	أَلِفُ الْفِعْلِ الرُّبَاعِيِّ الْمَهْمُوزِ أَوَّلِهِ وَالأَمْرِ	أَكْرَمَ = أَكْرِمْ
3	مَاضِي الْفِعْلِ السُّدَاسِيِّ وَأَمْرِهِ	اسْتَخْرَجَ = اسْتَخْرِجْ	أَلِفُ الاسْتِفْهَامِ	أَقَامَ زَيْدٌ؟
4	مَصْدَرُ الْخُمَاسِيِّ فِي الأَسْمَاءِ	انْطِلاقٌ – انْفِتَاحٌ	الأَسْمَاءُ	أَخٌ – أُخْتٌ – أَبْيَاتٌ – أَسَدٌ
5	مَصْدَرُ السُّدَاسِيِّ فِي الأَسْمَاءِ	اسْتِخْرَاجٌ – اسْتِظْهَارٌ	مَصَادِرُ الثُّلاثِيِّ وَالرُّبَاعِيِّ	أَخْذٌ – إِكْرَامٌ – أَكْلٌ
6	بَعْضُ الأَسْمَاءِ السَّمَاعِيَّةِ	اسْمٌ – ابْنٌ – ابْنَةٌ – امْرَأَةٌ – اثْنَانِ – اثْنَتَانِ – امْرُؤٌ	أَدَوَاتُ الرَّبْطِ	إِذَنْ – إِنَّ – إِنْ – أَنْ – أَمْ – أَمَّا – أَمَا – أَوْ – أَلا – إِلَّا – إِذْمَا – إِذَا ...

الْخُلَاصَةُ:

هَمْزَةُ الْوَصْلِ: هِيَ هَمْزَةٌ يُتَوَصَّلُ بِهَا إِلَى النُّطْقِ بِالْحَرْفِ السَّاكِنِ الَّذِي يَلِيهَا، وَلَهَا خَصَائِصُ:

1. تُكْتَبُ وَلَا يُنْطَقُ بِهَا (فَرِيدٌ اجْتَهَدَ)، إِلَّا إِذَا بَدَأْنَا بِهَا الْكَلَامَ (اِجْتَهَدَ فَرِيدٌ).

2. تُكْتَبُ أَلِفًا فَقَطْ دُونَ هَمْزَةٍ فَوْقَهَا وَلَا تَحْتَهَا.

3. إِذَا دَخَلَتْ هَمْزَةُ الاسْتِفْهَامِ عَلَى كَلِمَةٍ مَبْدُوءَةٍ بِهَمْزَةِ وَصْلٍ مَكْسُورَةٍ، حُذِفَتْ هَمْزَةُ الْوَصْلِ نُطْقًا وَكِتَابَةً (أَسْمُهُ عَلِيٌّ؟).

هَمْزَةُ الْقَطْعِ:

هِيَ هَمْزَةٌ تُكْتَبُ وَيُنْطَقُ بِهَا فِي أَيِّ مَوْضِعٍ جَاءَتْ فِيهِ، وَلَهَا خَصَائِصُ:

أ. تُكْتَبُ أَلِفًا فَوْقَهَا هَمْزَةٌ (أ) إِنْ كَانَتْ مَفْتُوحَةً أَوْ مَضْمُومَةً، وَأَلِفًا تَحْتَهَا هَمْزَةٌ (إ) إِنْ كَانَتْ مَكْسُورَةً.

ب. تَبْقَى عَلَى حَالِهَا إِذَا دَخَلَتْ عَلَيْهَا الْحُرُوفُ التَّالِيَةُ:

أَلْ التَّعْرِيفِ – اللَّامُ (لَامُ الْقَسَمِ وَلَامُ الْجَرِّ) – الْبَاءُ – السِّينُ – الْفَاءُ – الْوَاوُ – الْكَافُ.

التَّطْبِيقُ:

1. أُصَنِّفُ كُلًّا مِنْ هَمْزَةِ الْوَصْلِ وَهَمْزَةِ الْقَطْعِ فِي الْكَلِمَاتِ الْآتِيَةِ:

أَبْوَابٌ – أَمَرَ – اسْتَخْرَجَ – ابْنٌ – أُخْتٌ – ابْتَهَجَ – اكْتُبْ – اسْتِخْرَاجٌ – إِذَنْ – إِنْسَانٌ – اسْمٌ – أَسْمَاءٌ – أَلَمْ – أَخَذَ – اسْتَفَادَ – إِكْرَامٌ – أَنْ – الَّذِي – إِرْشَادَاتٌ – امْتِحَانٌ – أُسُودٌ

هَمْزَةُ الْوَصْلِ	هَمْزَةُ الْقَطْعِ

59
القواعد المبسطة / 7

2. أُبَرِّرُ كِتابَةَ الْهَمْزَةِ عَلى صورَتِها في الْكَلِماتِ الآتِيَةِ:

اسْأَلْ – إِكْرامٌ – اسْتَفادَ – أَزَيْنَبُ؟ – اسْتَفْتَحَ

الْكَلِمَةُ	سَبَبُ كِتابَةِ الْهَمْزَةِ أَوْ عَدَمِ كِتابَتِها
اسْأَلْ	
إِكْرامٌ	
اسْتَفادَ	
أَزَيْنَبُ؟	
اسْتَفْتَحَ	

3. نَصُّ الإِمْلاءِ: (يُكْتَبُ إِمْلائِيًّا في كِتابِ الْقِراءَةِ وَالتَّعْبيرِ صَفْحَة 60)

تُعَدُّ كُرَةُ السَّلَّةِ الأَمْريكِيَّةِ أَشْهَرَ الأَلْعابِ الرِّياضِيَّةِ الَّتي يُمارِسُها الشَّبابُ في أَمْريكا، ذَلِكَ أَنَّها تَجْذِبُ الْكَثيرَ مِنْهُمْ لِمُمارَسَتِها وَكَذَلِكَ تَجْذِبُ الْكَثيرَ مِنَ الْمُعْجَبينَ لِمُشاهَدَةِ مُبارَياتِها، وَلِذا أَضْحى الدَّوْرِيُّ الأَمْريكِيُّ ذائِعَ الصّيتِ في أَنْحاءِ الْعالَمِ، بِالنَّظَرِ لِلْجُهودِ الإِعْلامِيَّةِ الَّتي أَثْبَتَتْ فَعالِيَّتَها في نَشْرِ اللُّعْبَةِ، وَالإِقْبالِ عَلَيْها.

الأَلِفُ اللَّيِّنَةُ فِي آخِرِ الأَفْعَالِ الثُّلَاثِيَّةِ

الأَلِفُ اللَّيِّنَةُ: هِيَ أَلِفٌ ساكِنَةٌ مَفْتوحٌ ما قَبْلَها، وَلا تَقْبَلُ الْحَرَكاتِ، تَنْتَهي بِأَلِفٍ لَيِّنَةٍ، عَلى صُورَتَيْنِ:

أ. أَلِفٌ مَمْدُودَةٌ، مِثْلَ: سَمَا – رَجَا – نَمَا – حَبَا – عَدَا ...

ب. يَاءٌ غَيْرَ مَنْقُوطَةٍ، مِثْلَ: مَشَى – رَمَى – رَوَى – هَوَى – نَوَى...

الأَمْثِلَةُ:

الْجُمْلَةُ	الْفِعْلُ الْمُضارِعُ	مَعَ تاءِ الْفاعِلِ
صَحَا الْفَلَّاحُ مُبَكِّرًا	يَصْحُو	صَحَوْتُ
عَدَا الْمُتَسَابِقُ سَرِيعًا	يَعْدُو	عَدَوْتُ
دَعَا الْمُعَلِّمُ طُلَّابَهُ	يَدْعُو	دَعَوْتُ

الْجُمْلَةُ	الْفِعْلُ الْمُضارِعُ	مَعَ تاءِ الْفاعِلِ
سَقَى الْمُزَارِعُ الأَرْضَ	يَسْقِي	سَقَيْتُ
رَمَى اللَّاعِبُ الكُرَةَ	يَرْمِي	رَمَيْتُ
قَضَى الرَّجُلُ الأَمْرَ	يَقْضِي	قَضَيْتُ

الْخُلَاصَةُ:

الأَلِفُ اللَّيِّنَةُ هِيَ الأَلِفُ الْمَفْتُوحُ مَا قَبْلُهَا وَتُكْتَبُ بِشَكْلَيْنِ:

1. أَلِفٌ مَمْدُودَةٌ (ا)، مِثَالٌ: دَعَا ، سَمَا..

2. أَلِفٌ مَقْصُورَةٌ (ى)، مِثَالٌ: سَعَى ، هَوَى..

الأَلِفُ اللَّيِّنَةُ فِي آخِرِ الأَفْعَالِ الثُّلَاثِيَّةِ:

1. تُكْتَبُ أَلِفًا مَمْدُودَةً إِذَا كَانَتْ مُنْقَلِبَةً عَنْ وَاوٍ (بَدَا ، تَلَا ، دَنَا..)

2. تُكْتَبُ أَلِفًا مَقْصُورَةً إِذَا كَانَتْ مُنْقَلِبَةً عَنْ يَاءٍ (أَتَى ، أَبْدَى..)

لِمَعْرِفَةِ أَصْلِ الأَلِفِ (ا) أَوْ يَاءٍ غَيْرُ مُنَقَّطَةٍ (ى) فِي آخِرِ الْفِعْلِ الثُّلَاثِيِّ يَجْدُرُ بِنَا:

1. مَعْرِفَةُ مُضَارِعِ الْفِعْلِ: (دَنَا – يَدْنُو) / (سَمَا – يَسْمُو) / (مَشَى – يَمْشِي).

2. مَعْرِفَةُ الْمَصْدَرِ: (سَعَى – سَعْيٌ) / (سَمَا – سُمُوٌّ).

3. تَثْنِيَةُ الاسْمِ: (فَتَى – فَتَيَانِ).

4. زِيَادَةُ التَّاءِ الْمُتَحَرِّكَةِ لِلْفِعْلِ الْمَاضِي: (عَفَا – عَفَوْتُ).

التَّطْبِيقُ:

1. أُكْمِلُ بِحَسْبِ الْمِثَالِ:

الْفِعْلُ الثُّلَاثِيُّ	الْمُضَارِعُ	مَعَ تَاءِ الْفَاعِلِ	أَصْلُ الأَلِفِ	نَوْعُ الأَلِفِ
بَكَى	يَبْكِي	بَكَيْتُ	يَاءٌ	يَاءٌ غَيْرَ مَنْقُوطَةٍ
كَسَا				
نَوَى				
دَعَا				

2. أُشِيرُ إِلَى الْعِبَارَةِ الصَّحِيحَةِ فِيمَا يَأْتِي:

تُرْسَمُ الأَلِفُ اللَّيِّنَةُ فِي آخِرِ الْفِعْلِ:

أ. ( ) قَائِمَةً فَقَطْ.

ب. ( ) عَلَى شَكْلِ يَاءٍ غَيْرَ مَنْقُوطَةٍ.

ج. ( ) قَائِمَةً أَوْ عَلَى شَكْلِ يَاءٍ غَيْرِ مَنْقُوطَةٍ.

3. أُكْمِلُ:

أ. الأَلِفُ اللَّيِّنَةُ فِي آخِرِ الْفِعْلِ الثُّلَاثِيِّ هِيَ أَلِفٌ مَسْبُوقَةٌ بِحَرْفٍ:

مَكْسُورٍ – مَضْمُومٍ – مَفْتُوحٍ – سَاكِنٍ

ب. الأَلِفُ اللَّيِّنَةُ فِي جَمِيعِ الأَفْعَالِ التَّالِيَةِ مَرْسُومَةً رَسْمًا صَحِيحًا، عَدَا:

نَمَا – دَنَا – كَوَا – عَلَا

ج. الأَلِفُ اللَّيِّنَةُ فِي جَمِيعِ الأَفْعَالِ التَّالِيَةِ مَرْسُومَةً رَسْمًا صَحِيحًا، عَدَا: (غَزَى – هَدَى – جَرَى – ثَنَى)

4. أُكْمِلُ الْجُمَلَ التَّالِيَةَ بِفِعْلٍ ثُلاثِيٍّ آخِرُهُ أَلِفٌ لَيِّنَةٌ:

أ. .... الْعُصْفُورُ مِنَ الشَّجَرَةِ.

ب. .... الْغَنِيُّ الْفَقِيرَ ثَوْبًا.

ج................الْعَامِلُ بَيْتًا.

5. أُعَلِّقُ بِـ (نَعَمْ) أَوْ (لَا) عَلَى مَا يَلِي:

أ. لِلْأَلِفِ اللَّيِّنَةِ صُورَةٌ وَاحِدَةٌ فِي آخِرِ الأَفْعَالِ الثُّلاثِيَّةِ. (   )

ب. الْحَرْفُ الَّذِي يَسْبِقُ الأَلِفَ اللَّيِّنَةَ فِي آخِرِ الْفِعْلِ الثُّلاثِيِّ غَالِبًا يَكُونُ مَفْتُوحًا. (   )

ج. إِذَا كَانَ أَصْلُ الأَلِفِ اللَّيِّنَةِ وَاوًا كُتِبَتْ الأَلِفُ اللَّيِّنَةُ قَائِمَةً. (   )

3. نَصُّ الإِمْلاءِ: (يُكْتَبُ إِمْلائِيًّا فِي كِتَابِ الْقِرَاءَةِ وَالتَّعْبِيرِ صَفْحَة 88)

فِي الْحَيَاةِ أُمُورٌ تَرْقَى لِرُتْبَةِ الإِنْسَانِيَّةِ، وَمِنْ هَذِهِ الأُمُورِ رِعَايَةُ الطُّفُولَةِ وَإِسْعَادِهَا، لِذَا دَعَا الْقَائِمُونَ عَلَى مُنَظَّمَةِ اليُونِيسِيف إِلَى رِعَايَةِ الطُّفُولَةِ، وَتَقْدِيمِ كُلِّ مَا يُسَاعِدُهُمْ. لَقَدْ جَرَتْ هَذِهِ الدَّعْوَةُ سَرِيعًا فِي كُلِّ مَكَانٍ، فَسَمَا الْخُلُقُ الإِنْسَانِيُّ بَيْنَ النَّاسِ، حَتَّى انْتَهَى بِهِمْ إِلَى تَحْقِيقِ نَتَائِجَ لَا بَأْسَ بِهَا.

لَقَدْ رَعَى الْمُخْلِصُونَ خِدْمَةَ الإِنْسَانِيَّةِ، فَسَمَا هَذَا الْعَمَلُ إِلَى مَرَاتِبَ عَالِيَةٍ مِنَ الشُّعُورِ بِبَرَاءَةِ الطُّفُولَةِ، وَبِالْمَسْؤُولِيَّةِ تِجَاهَهُمْ.

كِتابَةُ الْهَمْزَةِ الْمُتَوَسِّطَةِ عَلى الأَلِفِ

الْهَمْزَةُ الْمُتَوَسِّطَةُ عَلى الأَلِفِ.

1. الْهَمْزَةُ الْمُتَوَسِّطَةُ هِيَ هَمْزَةٌ تَقَعُ فِي وَسَطِ الْكَلِمَةِ، وَتَكُونُ مُتَحَرِّكَةً بِجَمِيعِ الْحَرَكَاتِ، وَمُتَحَرِّكًا ما قَبْلَها، وَساكِنًا ما بَعْدَها، تُرْسَمُ عَلى أَلِفٍ أَوْ واوٍ أَوْ ياءٍ أَوْ عَلى السَّطْرِ.

2. إِذا أَرَدْتُ أَنْ أَكْتُبَ الْهَمْزَةَ الْمُتَوَسِّطَةَ عَلى أَلِفٍ أَنْظُرُ إِلى حَرَكَةِ الْهَمْزَةِ ثُمَّ إِلى حَرَكَةِ الْحَرْفِ الَّذي قَبْلَها، ثُمَّ أَكْتُبُها عَلى حَرْفٍ يُناسِبُ الْحَرَكَةَ الأَقْوى:

الْفَتْحَةُ، تُقابِلُها الأَلِفَ / الْكَسْرَةُ، تُقابِلُها الْياءَ.

الضَّمَّةُ، تُقابِلُها الْواوَ / السُّكُونُ، يُقابِلُها السَّطْرَ.

3. تَتَدَرَّجُ قُوَّةُ الْحَرَكاتِ كَالتّالِي: الْكَسْرَةُ ثُمَّ الضَّمَّةُ ثُمَّ الْفَتْحَةُ ثُمَّ السُّكُونُ.

الأَمْثِلَةُ:

الْحالَةُ / 1	أَمْثِلَةٌ	الْحالَةُ / 2	أَمْثِلَةٌ	الْحالَةُ / 3	أَمْثِلَةٌ
ساكِنَةٌ وَما قَبْلَها مَفْتُوحٌ	رَأْسٌ، كَأْسٌ، بَأْسٌ، يَأْمُرُ، يَأْمَلُ، يَأْنَسُ، طُمَأْنِينَةٌ، يَقْرَأْهُ، نَشَأْتُ، قَرَأْنَا،	مَفْتُوحَةٌ وَما قَبْلَها مَفْتُوحٌ	سَأَلَ، مُتَأَمِّلٌ، يَتَأَخَّرُ، يَقْرَآنِ، مَلْجَآنِ	مَفْتُوحَةٌ بَعْدَ ساكِنٍ	يَدْأَبُ، يَسْأَلُ، يَنْأَى، مَسْأَلَةٌ، جُزْأَهُ، جُزْأَيْنِ.

الْهَمْزَةُ الْمُتَوَسِّطَةُ عَلَى الْأَلِفِ:

تُكْتَبُ الْهَمْزَةُ الْمُتَوَسِّطَةُ عَلَى الْأَلِفِ فِي الْحَالَاتِ التَّالِيَةِ:

1. إِذَا كَانَتِ الْهَمْزَةُ الْمُتَوَسِّطَةُ مَفْتُوحَةً بَعْدَ فَتْحٍ: سَأَلَ، تَتَأَلَّمُ، مُكَافَأَةٌ.

2. إِذَا كَانَتِ الْهَمْزَةُ الْمُتَوَسِّطَةُ مَفْتُوحَةً بَعْدَ حَرْفٍ صَحِيحٍ سَاكِنٍ، مِثْلَ: فَجْأَةً، مَسْأَلَةٌ، (بِاسْتِثْنَاءِ كَلِمَةِ: هَيْئَةٍ)

3. إِذَا كَانَتِ الْهَمْزَةُ الْمُتَوَسِّطَةُ سَاكِنَةً بَعْدَ فَتْحٍ، مِثْلَ: يَأْخُذُ، مَأْمُورٌ، بَدَأْتُ، رَأْسٌ، كَأْسٌ.

4. إِذَا كَانَتِ الْهَمْزَةُ الْمُتَوَسِّطَةُ مَفْتُوحَةً بَعْدَ أَلِفِ الْمَدِّ، فَتُكْتَبُ قِطْعَةً مُنْفَرِدَةً بَعْدَهَا، مِثْلَ: سَاءَلَ، تَسَاءَلَ، عَبَاءَةَ.

5. إِذَا كَانَتِ الْهَمْزَةُ شِبْهَ مُتَوَسِّطَةٍ، وَتَقَعُ بَعْدَ حَرْفِ انْفِصَالٍ فَتُكْتَبُ قِطْعَةً مُنْفَرِدَةً بَعْدَهُ، مِثْلَ: جُزْءَانِ، ضَوْءَانِ،

الْخُلَاصَةُ:

حَتَّى تُتْقِنَ كِتَابَةَ الْهَمْزَةِ الْمُتَوَسِّطَةِ عَلَيْكَ، أَنْ تَعْرِفَ الْحَرَكَاتِ فِي اللُّغَةِ وَمَا يُنَاسِبُهَا مِنَ الْأَحْرُفِ، فَهِيَ تُرَتَّبُ حَسَبَ قُوَّتِهَا:

1. الْكَسْرَةُ: هِيَ أَقْوَى الْحَرَكَاتِ، وَتُنَاسِبُهَا النَّبْرَةُ أَوِ الْيَاءُ.

2. الضَّمَّةُ: تَلِي الْكَسْرَةَ فِي الْقُوَّةِ، وَتُنَاسِبُهَا الْوَاوَ.

3. الْفَتْحَةُ: وَتَلِي الضَّمَّةَ وَتُنَاسِبُهَا الْأَلِفُ.

4. السُّكُونُ: وَيَلِي الْفَتْحَةَ وَهُوَ أَضْعَفُ الْحَرَكَاتِ.

لِكِتَابَةِ الْهَمْزَةِ الْمُتَوَسِّطَةِ نَنْظُرُ إِلَى حَرَكَتِهَا وَحَرَكَةِ الْحَرْفِ الَّذِي قَبْلَهَا، ثُمَّ نَكْتُبُهَا عَلَى الْحَرْفِ الَّذِي يُنَاسِبُ أَقْوَى الْحَرَكَاتِ، مِثَالٌ: (سُ ـ ءِ لَ)، فِي هَذِهِ الْكَلِمَةِ حَرَكَةُ الْهَمْزَةِ الْمُتَوَسِّطَةِ فِيهَا الْكَسْرُ وَحَرَكَةُ مَا قَبْلَهَا الضَّمُّ، وَالْكَسْرُ أَقْوَى مِنَ الضَّمِّ، وَالْكَسْرُ كَمَا رَأَيْنَا يُنَاسِبُهُ النَّبْرَةُ لِذَلِكَ نَكْتُبُهَا هَكَذَا : سُئِلَ.

التَّطْبيقُ:

1. أَضعُ في الْمَكانِ الْخالي مِمّا يأْتي كَلِمَةً فيها هَمْزَةٌ مُتوسِّطَةٌ عَلى أَلِفٍ:

أ. الطِّفْلُ .... في حُضْنِ أُمِّهِ.

ب. الطَّالِبُ لَمْ .... عَنِ الْمَدْرَسَةِ.

ج. .... الرِّياضِيَاتِ سَهْلَة.

د. يَنْقَسِمُ الْكِتَابُ إِلَى ....

2. أُبَرِّرُ كِتابَةَ الْهَمْزَةِ الْمُتَوَسِّطَةِ عَلى صُورَتِها في الْكَلِماتِ التَّالِيَةِ:

فَأْس: ....

مُتَأَمِّل: ....

جُرْأَة: ....

يَسْأَلان: ....

امْرَأَة: ....

3. نَصُّ الإِمْلاءِ: (يُكْتَبُ إِمْلائِيًّا في كِتابِ الْقِراءَةِ وَالتَّعْبيرِ صَفْحَة 80)

مِنْ أَجْمَلِ لَحظاتِ الأَبِ تِلْكَ الَّتي يَأْمُلُ فِيهَا سَمَاعَ ضَحَكَاتِ ابْنِهِ، وتِلْكَ الَّتي يَسْأَلُهُ فِيهَا إِنْ كَانَ يُحبُّهُ، وَلَمْ تَكُنْ هَذِهِ وتِلْكَ فَقَطْ، وَإِنَّمَا عِنْدَمَا يَتأَمَّلُ وَجْهَهُ، فَيَرَى فيهِ إِشْرَاقَةَ الصَّبَاحِ، حِينَئِذٍ يَأْخُذُ وَجْنَتَيْهِ لِيُقَبِّلَهَا، فَيَأْسِرُ مَشَاعِرَهُ حِينَ يُنادِيهِ : بَابَا... فَيَرُدُّ عَلَيْهِ الأَبُ تَغْمُرُهُ مَشَاعِرَ فَيَّاضَةً، وَلَدِي الْحَبِيبِ، أَنْتَ نُورُ الصَّبَاحِ وَعُصْفُورَهُ الَّذي يُغَرِّدُ، فَيَأْمُرُنِي بِاحْتِضَانِهِ.

الْهَمْزَةُ الْمُتَوَسِّطَةُ عَلَى الْوَاوِ

تَنْبِيهٌ: كِتَابَةُ الْهَمْزَةِ الْمُتَوَسِّطَةِ تَعْتَمِدُ عَلَى قُوَّةِ الْحَرَكَاتِ وِفْقَ الْخُطُوَاتِ التَّالِيَةِ:

أ. تَحْدِيدُ حَرَكَةِ الْهَمْزَةِ الْمُتَوَسِّطَةِ.

ب. تَحْدِيدُ حَرَكَةِ الْحَرْفِ الَّتِي قَبْلَ الْهَمْزَةِ.

ج. الْمُقَارَنَةُ بَيْنَ حَرَكَةِ الْحَرْفَيْنِ، وَاخْتِيَارُ الْحَرَكَةِ الأَقْوَى الْكَسْرَةِ، ثُمَّ الضَّمَّةِ، ثُمَّ الْفَتْحَةِ، ثمّ السُّكُونِ.

د. كِتَابَةُ الْهَمْزَةِ عَلَى حَرْفٍ يُنَاسِبُ الْحَرَكَةَ الأَقْوَى: الْكَسْرَةُ يُنَاسِبُهَا الْيَاءَ، الْفَتْحَةُ تُنَاسِبُهَا الأَلِفَ، الضَّمَّةُ تُنَاسِبُهَا الْوَاوَ، السُّكُونُ يُنَاسِبُهُ السَّطْرَ.

تُكْتَبُ الْهَمْزَةُ الْمُتَوَسِّطَةُ عَلَى وَاوٍ فِي الْحَالاتِ التَّالِيَةِ:

حَالَةُ كِتَابَةِ الْهَمْزَةِ الْمُتَوَسِّطَةِ عَلَى الْوَاوِ	الأَمْثِلَةُ
1- الْهَمْزَةُ الْمُتَوَسِّطَةُ سَاكِنَةٌ بَعْدَ ضَمٍّ.	لُؤْلُؤ - سُؤْل - لُؤْم - رُؤْيَة - مُؤْلِم ...
2- الْهَمْزَةُ الْمُتَوَسِّطَةُ مَفْتُوحَةٌ بَعْدَ ضَمٍّ.	مُؤَلِّف - سُؤَال - يُؤَجِّل - مُؤَامَرَة - مُؤَوَّل...
3- الْهَمْزَةُ الْمُتَوَسِّطَةُ مَضْمُومَةٌ بَعْدَ سُكُونٍ.	التَّفاؤُل - جُزْؤُه - التَّضاؤُل...
4- الْهَمْزَةُ الْمُتَوَسِّطَةُ بَعْدَ فَتْحٍ.	يَؤُمُّ - رَؤُوف - يَقْرَؤُه...
5- الْهَمْزَةُ الْمُتَوَسِّطَةُ مَضْمُومَةٌ بَعْدَ ضَمٍّ.	لُؤْلُؤُه ...

الْخُلاصَةُ:

الْهَمْزَةُ الْمُتَوَسِّطَةُ عَلَى الْوَاوِ:

تُكْتَبُ الْهَمْزَةُ الْمُتَوَسِّطَةُ عَلَى الْوَاوِ فِي الْحَالاتِ الآتِيَةِ:

1. إِذَا كَانَتِ الْهَمْزَةُ الْمُتَوَسِّطَةُ مَضْمُومَةً بَعْدَ ضَمٍّ، مِثْلَ: كُؤُوس، رُؤُوس.

2. إِذَا كَانَتِ الْهَمْزَةُ الْمُتَوَسِّطَةُ مَضْمُومَةً بَعْدَ فتحٍ، مِثْلَ: يَؤُوب، خَطَؤُهم، فَؤُول.

التَّطْبِيقُ:

1. أَخْتَارُ الْكَلِمَةَ الْمُنَاسِبَةَ، ثُمَّ أَضَعُهَا فِي الْمَكَانِ الْمُنَاسِبِ مِمَّا يَأْتِي:

رُؤْيَتِي - سُؤَال - التَّفَاؤُل - يَقْرَؤُه - لُؤْلُؤُه

أ. أَجَبْتُ عَنْ .... وَاحِدٍ فَقَطْ.

ب. ظَلَّ .... بِالنَّجَاحِ، مَعَ الطَّالِبِ.

ج. اشْتَرَى الرَّجُلُ كِتَابًا كَيْ ....

د. .... أَنْ أُصْبِحَ طَبِيبًا.

ه. قَالَ بَائِعُ الْمُجَوْهَرَاتِ: .... غَالِي الثَّمَن.

2. أُبَرِّرُ كِتَابَةَ الْهَمْزَةِ عَلَى الْوَاوِ فِي الْكَلِمَاتِ التَّالِيَةِ:

يُؤَجِّل: ....

دُعَاؤُهَا: ....

جُزْؤُه: ....

3. نَصُّ الإِمْلَاءِ: (يُكْتَبُ إِمْلَائِيًّا فِي كِتَابِ الْقِرَاءَةِ وَالتَّعْبِيرِ صَفْحَة 74)

مِنَ الْمُسَلَّمَاتِ الَّتِي يُؤْمِنُ بِهَا فُؤَادُ، أَنَّ الأُمَّ هِيَ مَنْبَعُ الْحَنَانِ، وَمَصْدَرُ السَّعَادَةِ لِلأَبْنَاءِ، وَلِذَا أَيْقَنَ أَنَّ احْتِرَامَهَا وَاجِبٌ، وَأَنَّ التَّعَامُلَ مَعَهَا بِمَسْؤُولِيَّةٍ ضَرُورَةٌ، وَهَذَا جَعَلَهُ فِي سُلُوكِهِ يُرَكِّزُ عَلَى مَكَارِمِ الأَخْلَاقِ الَّتِي زَرَعَتْهَا أُمُّهُ فِي نَفْسِهِ. إِنَّ فُؤَادَ يُؤْمِنُ بِأَنَّ بِرَّ الْوَالِدَيْنِ يُحَمِّلُهُ مُؤُونَةَ الْعِنَايَةِ بِهِمَا فِي كِبَرِهِمَا، وَالدُّعَاءِ لَهُمَا.

الْهَمْزَةُ الْمُتَوَسِّطَةُ عَلى الْياءِ

تُكْتَبُ الْهَمْزَةُ الْمُتَوَسِّطَةُ عَلى ياءٍ فِي الْحالاتِ الآتِيَةِ:

1. إِذَا كَانَتْ ساكِنةً بَعْدَ كَسْرٍ، مِثْلَ: بِئْر، ذِئْب، بِئْس...
2. إِذَا كَانَتْ مَكْسُورَةً بَعْدَ كَسْرٍ، مِثْلَ: قارِئِه، ناشِئِين، لآلِئِه...
3. إِذَا كَانَتْ مَضْمُومَةً بَعْدَ كَسْرٍ، مِثْلَ: مِئُونَ، ناشِئُونَ، يَبْتَدِئُونَ، يَسْتَهْزِئُونَ...
4. إِذَا كَانَتْ مَفْتُوحَةً بَعْدَ كَسْرٍ، مِثْلَ: فِئَة، رِئَة، نَاشِئَة، طارِئَة، مِئَة...
5. إِذَا كَانَتْ مَكْسُورَةً بَعْدَ ضَمٍّ، مِثْلَ: سُئِلَ، رُئِيَ...
6. إِذَا كَانَتْ مَكْسُورَةً بَعْدَ فتحٍ، مِثْلَ: مُطْمَئِنّ، يَئِنّ، ضَئِيل، مَنْشَئِه...
7. إِذَا كَانَتْ مَكْسُورَةً بَعْدَ سُكُونٍ، مِثْلَ: أَفْئِدَة، أَسْئِلَة، صائِم، الرَّائِي...
8. إِذَا كَانَتْ مَسْبُوقَةً بِياءٍ ساكِنَةٍ مَهْما كَانَتْ حَرَكَتُها، مِثْلَ: هَيْئَة، بِيئَة...

الْخُلاصَةُ:

الْهَمْزَةُ الْمُتوَسِّطَةُ عَلى الْياءِ:

تُكْتَبُ الْهَمْزَةُ الْمُتَوَسِّطَةُ على الياءِ في الحالاتِ الآتِيَةِ:

1. إِذا كَانَتِ الْهَمْزَةُ الْمُتَوَسِّطَةُ مَكْسُورةً بَعْدَ كَسْرٍ، مِثْلَ: مُتَّكِئِينَ، مِئِينَ، تُنْشِئِينَ.
2. إِذَا كَانَتِ الْهَمْزَةُ الْمُتَوَسِّطَةُ مَكْسُورَةً بَعْدَ ضَمَّةٍ، مِثْلَ: رُئِسَ، وُئِدَتْ، سُئِلَتْ.
3. إِذَا كَانَتِ الْهَمْزَةُ الْمُتَوَسِّطَةُ مَكْسُورَةً بَعْدَ فَتْحَةٍ، مِثْلَ: يَئِسَ، لَئِيم، أَئِمَّة.
4. إِذَا كَانَتِ الْهَمْزَةُ الْمُتَوَسِّطَةُ مَكْسُورَةً بَعْدَ سُكُونٍ، مِثْلَ: سَائِل، جُزْئِيَّة، أَسْئِلَة.
5. إِذَا كَانَتِ الْهَمْزَةُ الْمُتَوَسِّطَةُ مَكْسُورةً بَعْدَ كَسْرَةٍ، مِثْلَ: فِئَة، ظَمِئَتْ، دَافِئَة، مِئَة.
6. إِذَا كَانَتِ الْهَمْزَةُ الْمُتَوَسِّطَةُ مَكْسُورةً بَعْدَ كَسْرَةٍ، مِثْلَ: بِئْر، بِئْسَ، مِئْذَنَة.
7. إِذَا كَانَتِ الْهَمْزَةُ الْمُتَوَسِّطَةُ مَضْمُومَةً بَعْدَ كَسْرَةٍ، مِثْلَ: سنُقرِئُك، بِمبادِئِك، بِمُسَاوِئِك.

التَّطْبِيقُ:

1. أَخْتَارُ الْكَلِمَةَ مِمَّا يَأْتِي ثُمَّ أَضَعُهَا فِي مَكَانِهَا الْمُنَاسِبِ:

سُئِلَ – مَائِلَة – ضَئِيل – الْبِيئَة

أ. يُحَافِظُ الْمُصْطَافُونَ عَلَى نَظَافَة ....

ب. حَجْمُ الطِّفْلِ .... عِنْدَ مَوْلِدِهِ.

ج. الطَّائِرَةُ .... نَحْوَ الْمَطَارِ.

د. الطَّالِبُ الْمُجْتَهِدُ .... عَنِ الْوَاجِبِ الْبَيْتِيِّ.

2. أَبْرِزُ كِتَابَةَ الْهَمْزَةِ الْمُتَوَسِّطَةِ عَلَى الْيَاءِ فِي الْكَلِمَاتِ التَّالِيَةِ:

رُئِيَ: ....

عَائِدُونَ: ....

طَارِئَة: ....

أَسْئِلَة: ....

شَيْئًا: ....

3. نَصُّ الْإِمْلَاءِ: (يُكْتَبُ إِمْلَائِيًّا فِي كِتَابِ الْقِرَاءَةِ وَالتَّعْبِيرِ صَفْحَةٍ 108)

مِنَ الْمَسَائِلِ الْهَامَّةِ فِي حَيَاةِ الْإِنْسَانِ، أَنْ يُخَطِّطَ لِلرِّحْلَةِ الَّتِي يَنْوِي الْقِيَامَ بِهَا، وَأَنْ يَكُونَ مُتَفَائِلًا بِالنَّتِيجَةِ الَّتِي يَقْصِدُ تَحْقِيقَهَا، وَأَنْ يَطْمَئِنَّ إِلَى أَنَّهُ سَيُحَقِّقُ الْأَهْدَافَ الَّتِي رَسَمَهَا لِنَفْسِهِ. وَمِنْ أَمْثِلَةِ التَّخْطِيطِ السَّلِيمِ زِيَارَةُ بَارِيسَ عَاصِمَةَ النُّورِ، تِلْكَ الْعَاصِمَةُ الْأُورُوبِّيَّةُ الَّتِي تُعَدُّ رَائِدَةً بَيْنَ عَوَاصِمَ الْعَالَمِ فِي جَمَالِهَا.

إِنَّ مِثْلَ هَذِهِ الزِّيَارَاتِ يُمْكِنُ أَنْ تَكُونَ وَسَائِطَ هَامَّةً لِإِيجَادِ صَدَاقَاتٍ وَالتَّزَوُّدِ بِثَقَافَاتٍ صَائِبَةٍ فِي عَالَمٍ مَلِيءٍ بِالْمَعْلُومَاتِ.

كِتابَةُ الْهَمْزَةِ في آخِرِ الْكَلِمَةِ

الْهَمْزَةُ الْمُتَطَرِّفَةُ: هِيَ الْهَمْزَةُ الَّتي تَأْتي آخِرَ الْكَلِمَةِ، فَإِذا كانَ ما قَبْلَها مُتَحَرِّكًا، فَلَها ثَلاثُ حالاتٍ:

1. إِذَا كَانَ مَا قَبْلَهَا مَفْتُوحًا: فَإِنَّهَا تُكْتَبُ عَلَى الأَلِفِ، مِثْلَ: النَّبَأَ، قَرَأَ، يَقْرَأُ.
2. إِذَا كَانَ مَا قَبْلَهَا مَضْمُومًا: فَإِنَّهَا تُكْتَبُ عَلَى الواوِ، مِثْل: التَّنبُّؤ، جَرُؤَ، هذا امْرُؤُ القَيْس.
3. إِذَا كَانَ مَا قَبْلَهَا مَكْسُورًا: فَإِنَّهَا تُكْتَبُ عَلَى الْيَاءِ، مِثْلَ: يَتَّكِئُ، نَاشِئٌ، مَرَرْتُ، بِامْرِئِ القَيْسِ.
4. إِذَا كَانَ مَا قَبْلَهَا سَاكِنًا: فَإِنَّهَا تُكْتَبُ عَلَى السَّطْرِ، مِثْلَ: جُزْء، فَيْء، بَدْء ...

الخلاصةُ:

تُكْتَبُ الْهَمْزَةُ في آخِرِ الْكَلِمَةِ عَلَى الْحَرْفِ الَّذي يُناسِبُ حَرَكَةَ الْحَرْفِ الَّذي قَبْلَها:

1. إِذَا سَبَقَ الْهَمْزَةَ حَرْفٌ مَكْسُورٌ، كُتِبَتِ الْهَمزَةُ عَلَى اليَاءِ: بَادِئٌ، شَاطِئٌ، هَادِئٌ.
2. إِذَا سَبَقَ الْهَمْزَةَ حَرْفٌ مَضْمُومٌ، كُتِبَتِ الْهَمْزَةُ عَلى الْوَاوِ: تَكافُؤٌ، تَباطُؤٌ، يَجْرُؤُ.
3. إِذَا سَبَقَ الْهَمْزَةَ حَرْفٌ مَفْتُوحٌ، كُتِبَتِ الْهَمزَةُ عَلَى الأَلِفِ: بدأَ، قَرَأَ، نشأَ.
4. إِذَا سَبَقَ الْهَمْزَةَ حَرْفٌ ساكِنٌ، كُتِبَتِ الْهَمزَةُ عَلَى السَّطرِ مُنْفَرِدَةً: دِفْءٌ، شَيْءٌ، هُدُوءٌ.

التَّطْبِيقُ:

1. أَضَعُ إِشارَةَ (صَحّ) أَمامَ الْعِبارَةِ الصَّحيحَةِ، وَإِشارَةَ (خطأ) أَمامَ الْعِبارَةِ غَيْرِ الصَّحيحَةِ فيما يَأْتي:

أ. ( ) الْهَمْزَةُ الْمُتطرِّفَةُ هِيَ الْهَمْزَةُ الَّتي تَقَعُ في أَوَّلِ الْكَلِمَةِ.

ب. ( ) تُكْتَبُ الْهَمْزَةُ الْمُتطَرِّفَةُ عَلى ياءٍ إذا كانَ ما قَبْلَها مَكْسورًا.

ج. ( ) تُكْتَبُ الْهَمْزَةُ الْمُتَطَرِّفَةُ عَلى واوٍ إذا كانَ ما قَبْلَها مَضْمومًا.

د. ( ) تُكْتَبُ الْهَمْزَةُ الْمُتَطَرِّفَةُ عَلى أَلِفٍ إِذا كانَ ما قَبْلَها مَكْسُورًا.

2. أُصَنِّفُ الْكَلِمَاتِ التَّالِيَةَ وَفْقَ طَرِيقَةِ كِتَابَةِ الْهَمْزَةِ الْمُتَطَرِّفَةِ:

مَلَأَ – اقْرَأْ – التَّوَاطُؤُ – يَسْتَهْزِئُ – قَارِئ – بَارِئ – اللُّؤْلُؤُ – التَّهَيُّؤُ

هَمْزَةٌ مُتَطَرِّفَةٌ عَلَى الْيَاءِ	هَمْزَةٌ مُتَطَرِّفَةٌ عَلَى الْوَاوِ	هَمْزَةٌ مُتَطَرِّفَةٌ عَلَى الْأَلِفِ

3. أَضَعُ الْكَلِمَاتِ التَّالِيَةَ، فِي مَكَانِهَا الصَّحِيحِ مِمَّا يَأْتِي:

سَبَأَ – جَرُؤَ – ضَوْءٌ – جَزَاءٌ

أ. مِنْطَقَةُ .... تَقَعُ فِي الْيَمَنِ.

ب. ....النَّهَارِ يُنِيرُ الْأَرْضَ.

ج. نَالَ الْمُجْتَهِدُ جَائِزَةً ....تَفَوُّقِه.

د. الْأَسَدُ..................عَلَى مُدَرِّبِه.

4. نَصُّ الْإِمْلَاءِ: (يُكْتَبُ إِمْلَائِيًّا فِي كِتَابِ الْقِرَاءَةِ وَالتَّعْبِيرِ، صَفْحَةَ 94)

تُعَدُّ نَصَائِحُ الطَّبِيبِ جُزْءًا هَامًّا فِي وَسَائِلِ عِلَاجِ الْمَرِيضِ، ذَلِكَ أَنَّهَا تُهَيِّئُ سُبُلَ السُّلُوكِ الصَّحِيحِ فِي عِلَاجِ الْأَمْرَاضِ، فَعِنْدَمَا يَتَنَاوَلُ الْمَرِيضُ الدَّوَاءَ وِفْقَ نَصِيحَةِ الطَّبِيبِ، فَإِنَّ أَعْضَاءَ جِسْمِه تَتَجَاوَبُ مَعَ هَذَا الدَّوَاءِ، وَلَا تَجْرُؤُ عَلَى الرَّفْضِ إِلَّا فِي حَالَاتٍ خَاصَّةٍ. إِنَّ سَمَاعَ نَصَائِحِ الطَّبِيبِ تَجْعَلُ الْمَرِيضَ يَقِفُ عَلَى شَاطِئِ الصِّحَّةِ الْعَامَّةِ، وَبِهَذَا يَدْرَأُ عَنْ نَفْسِهِ مُضَاعَفَاتٍ هُوَ فِي غِنًى عَنْهَا، جَزَاءً لِمَا نَفَّذَهُ مِنْ نَصَائِحَ.

حَذْفُ الْوَاوِ مِنَ الأَفْعَالِ

تُحْذَفُ الْوَاوِ مِنَ الأَفْعَالِ فِي الْحَالَاتِ التَّالِيَةِ:

الأَمْثِلَةُ	الْحَالَةُ
اُدْنُ – اُدْعُ...	1. فِي فِعْلِ الأَمْرِ الْمُنْتَهِي بِوَاوٍ:
لَمْ يَدْعُ – لَمْ يَعْفُ – لَمْ يَغْزُ...	2. فِي الْفِعْلِ الْمُضَارِعِ الْمُعْتَلِّ بِالْوَاوِ إِذَا جُزِمَ:
الرِّجَالُ يَدْعُونَ (أَصْلُهُ يَدْعُوونَ)	3. فِي الْفِعْلِ الْمُضَارِعِ الْمُعْتَلِّ الآخِرِ بِالْوَاوِ إِذَا اتَّصَلَتْ بِهِ وَاوُ الْجَمَاعَةِ:
أَنْتِ تَدْعِينَ – أَنْتِ تَرْجِينَ...	4. إِذَا اتَّصَلَ بِالْفِعْلِ يَاءُ الْمُخَاطَبَةِ:
جَاءَ مُعَلِّمِي	5. فِي جَمْعِ الْمُذَكَّرِ السَّالِمِ إِذَا أُضِيفَ لِيَاءِ الْمُتَكَلِّمِ:
وَعَدَ: يَعِدُ – عِدْ...	6. إِذَا كَانَ الْفِعْلُ مَعْلُومًا
مَقُولٌ – مَبِيعٌ	7. إِذَا كَانَ الْفِعْلُ عَلَى وَزْنِ مَفْعُولٍ:

الْخُلَاصَةُ:

1. تُحْذَفُ الْوَاوُ حَالَ الْجَزْمِ وَفِي الأَمْرِ مِنَ الْفِعْلِ الْمُضَارِعِ النَّاقِصِ (الْمُعْتَلُّ اللَّامِ)، وَفِي الْفِعْلِ الْمُضَارِعِ الأَجْوَفِ (الْمُعْتَلُّ الْعَيْنِ).

2. يَجُوزُ حَذْفُ الْوَاوِ فِي بَعْضِ الأَفْعَالِ، كَرَاهِيَّةُ تَوَالِي وَاوَيْنِ.

مِثَالٌ 1:

يَعْلُو: فِعْلٌ مُضَارِعٌ نَاقِصٌ / الأَمْرُ مِنْهُ: (اُعْلُ). / الْمُضَارِعُ الْمَجْزُومُ مِنْهُ : (لَمْ يَعْلُ)

مِثَالٌ 2:

يَقُولُ: فِعْلٌ مُضَارِعٌ أَجْوَفٌ / الأَمْرُ مِنْهُ: (قُلْ)

1. أَضَعُ الأَفْعالَ التّالِيَةَ فِي مَكانِها الصَّحيحِ فيما يأْتي:

أُدْعُ - تَرْجُ - يَرْجُونَ - تَرْجِينَ - مُهَنْدِسي - عِدْ - يَسُودُ

أ. الطُّلّابُ الْمُجْتَهِدُونَ .... النَّجاحَ.

ب. أَنْتِ .... النَّجاحَ.

ج. الْهُدُوءُ .... فِي قاعَةِ الامْتِحانِ.

د. يَا فَرِيدُ .... أَخاكَ بِجائِزَةٍ.

ه. حَضَرَ................ الْمَشْرُوعِ.

و. يَا سَعِيدُ .... إِلَى عَمَلِ الْخَيْرِ.

ز. الْبِنْتُ .... النَّجاحَ.

2. أُبْرِزُ حَذْفَ الْواوِ فِي الأَفْعالِ التّالِيَةِ:

أَعْلُ: ....

مُهَنْدِسي: ....

يَسْمُونَ: ....

3. نصُّ الإملاءِ: (يكتبُ إملائيًّا في كتابِ القراءةِ والتّعبيرِ، صفحة 102)

تُعْتَبَرُ الْبَرامِجُ الَّتي يُخَطِّطُ لَها الْمُعَلِّمُونَ لِلسِّياحَةِ في كَنَدا مِنْ أَجْمَلِ الْبَرامِجِ الَّتي يَدْعُونَ لَها كُلَّ عامٍ، فَعِنْدَما يُخَطَّطُ لِزِيارَةِ أَحَدِ الأَماكِنِ السِّياحِيَّةِ، يُبادِرُ الْمُعَلِّمُونَ بِمُخاطَبَةِ طُلّابِهِمْ بِنَصائِحَ عَديدَةٍ كَيْ يَسْتَمْتِعُوا بِمُشاهَداتِهِمْ وَمِنْها: يا بُنَيَّ جِدْ هَدَفَكَ الصَّحيحَ، وَارْجُ طَلَبَ الْفائِدَةِ، وَعِدْ زُمَلاءَكَ بِالْمُساعَدَةِ، وَهَيِّئْ نَفْسَكَ لِقَضاءِ وَقْتٍ مُمْتِعٍ، فَإِنَّ السِّياحَةَ في كَنَدا مُتْعَةٌ ما بَعْدَها مُتْعَةٌ.

عَلامَاتُ التَّرْقِيم

عَلامَاتُ التَّرْقِيمِ: هِيَ عَلامَاتٌ ذَاتُ دَلالاتٍ، تُوضَعُ بَيْنَ الْكَلامِ، لِتَدُلَّ عَلى مَعانٍ قَصدَهَا الْكاتِبُ.

مَا فَوَائِدُهَا؟

أ. تُسَاعِدُ الْقَارِئَ عَلى فَهْمِ الْمَعْنَى فِي الْعِبَارَةِ. ب. تُسَاعِدُ عَلى تَذَوُّقِ الدَّلالاتِ الَّتِي تَحْمِلُهَا الْجُمْلَةُ.

ج. تُسَاعِدُ عَلَى الْقِرَاءَةِ الْجَهْرِيَّةِ السَّلِيمَةِ الْمُعَبِّرَةِ.

مِنْ أَنْوَاعِ عَلامَاتِ التَّرْقِيمِ:

1. الْفَاصِلَةُ وتُسَمَّى (الْفَصْلَةُ) وَرَمْزُهَا (،)، الْغَرَضُ مِنها أَنْ يَسْكُتَ الْقَارِئُ عِنْدَهَا سَكْتَةً خَفِيفَةً لِتَمْيِيزِ أَجْزَاءِ الْكَلامِ بَعْضَهُ عَنْ بعْضٍ، وَتُوضَعُ فِي الْمَوَاضِعِ التَّالِيَةِ:

- بَعْدَ لَفْظِ الْمُنَادَى: يا زَيْنَب،

- بَيْنَ أَنْوَاعِ الشَّيْءِ وَأَقْسَامِهِ: الْمُعَلِّمُونَ ثَلَاثَةٌ، وَاحِدٌ يُعَلِّمُ اللُّغَةَ الْعَرَبِيَّةَ، وَآخَرُ يُعَلِّمُ الرِّيَاضِيَاتَ، وَثَالِثٌ يُعَلِّمُ الْعُلُومَ.

- بَيْنَ الْكَلِمَاتِ الْمُفْرَدَةِ: هَذَا كِتَابٌ أَلَّفْنَاهُ، يَجْمَعُ دُرُوسًا فِي النَّحْوِ، وَمَوْضُوعَاتٍ فِي الإِمْلاءِ وَأَلْوَانًا فِي النَّحْوِ.

2. النُّقْطَةُ، وَرَمْزُهَا (.) وَتُوضَعُ فِي نِهَايَةِ الْجُمْلَةِ التَّامَةِ الْمَعْنَى إِذَا انْتَهَى الْحَدِيثُ عِنْدَهَا، كَمَا تُوضَعُ فِي نِهَايَةِ الْفِقْرَةِ أَوِ الْمَقْطَعِ، كَمَا تُوضَعُ فِي نِهَايَةِ الْبَحْثِ، أَوِ الْمَوْضُوعِ الْمَكْتُوبِ.

3. النُّقْطَتَانِ الرَّأْسِيَّتَانِ: وَرَمْزُهَا (:) وَتُسْتَعْمَلانِ فِي التَّوْضِيحِ، وَذَلِكَ لِتَمْيِيزِ مَا بَعْدَهَا عَمَّا قَبْلَهَا، مِثَالٌ:

- بَيْنَ الْقَوْلِ وَالْكَلامِ الْمَقُولِ: قَالَ الْمُعَلِّمُ: «مَنْ يَجْتَهِدْ يَنْجَحْ».

- بَيْنَ الشَّيْءِ وَأَقْسَامِهِ، مِثْلَ: الْكَلامُ ثَلاثَةُ أَنْوَاعٍ: اسْمٌ، وَفِعْلٌ، وَحَرْفٌ.

4. عَلامَةُ الاسْتِفْهَامِ: وَرَمْزُهَا (؟) وَتُوضَعُ فِي نِهَايَةِ الْجُمْلَةِ، مِثَالٌ: أَهَذَا قَلَمُكَ؟ أَيْنَ كِتَابُكَ؟

5. عَلامَةُ التَّعَجُّبِ، وَرَمْزُهَا (!) وَتُوضَعُ فِي آخِرِ الْجُمَلِ الَّتِي يُعَبَّرُ بِهَا عَنْ فَرَحٍ، أَوْ حُزْنٍ، أَوْ تَعَجُّبٍ، أَوْ دُعَاءٍ، مِثْلُ: يَا بُشْرَايَ! نَجَحْتُ فِي الامْتِحَانِ. مَا أَجْمَلَ الطَّقْسَ! أَغِيثُونَا!

6. عَلامَةُ الْحَصْرِ ( ) : تُوضَعُ الْقَوْسَانِ وَسَطَ الْكَلامِ، وَتُكْتَبُ بَيْنَهُمَا الْعِبَارَاتُ وَالأَلْفَاظُ الَّتِي لَيْسَتْ مِنْ أَسَاسِ الْكَلامِ، مِثْلَ: الْجُمَلُ الاعْتِرَاضِيَّةُ وَالتَّفْسِيرِيَّةُ، وَكَذَلِكَ لِلإِشَارَةِ إِلَى مَرْجِعٍ سَابِقٍ.

فائِدَةٌ:

عَلاماتُ التَّرْقيمِ رُموزٌ اصْطِلاحِيَّةٌ تُكْتَبُ بَيْنَ الْكَلِماتِ وَالْجُمَلِ وَالْفِقَراتِ لِتَيْسيرِ عَمَلِيَّةِ الْفَهْمِ عَلى الْقارِئِ، وَهِيَ عُنْصُرٌ أَساسِيٌّ مِنْ عَناصِرَ التَّعْبيرِ الْكِتابِيِّ وَلَها صِلَةٌ وَثيقَةٌ بِالْكِتابَةِ الإِمْلائِيَّةِ.

نَموذَجٌ: لاحِظْ عَلاماتِ التَّرْقيمِ في الْفِقْرَةِ التّالِيَةِ.

اللُّغَةُ الْعَرَبِيَّةُ لُغَةٌ جَميلَةٌ (،) نُحِبُّها جَميعًا (،) وَنَسْعى لِنَتَعَلَّمُها (،) كَيْ نَتَواصَلَ مَعَ أَهْلِنا وَأَحِبّائِنا (،) وَلِذا نَحْرِصُ دائِمًا عَلى التَّحَدُّثِ بِها مَعَ أَهْلِنا في الْبَيْتِ (،) وَمَعَ أَصْدِقائِنا في الْمَدْرَسَةِ (.) فَما أَجْمَلَ أَنْ نَتَذَوَّقَ مَعانيها وَجَمالِيّاتِ دَلالاتِها (!) وَهَلْ هُناكَ أَجْمَلُ مِنَ اللُّغَةِ الْعَرَبِيَّةِ (؟!)

التَّطْبيقُ:

1. أَضَعُ إِشارَةَ (صَحْ) أَمامَ الْعِبارَةِ الصَّحيحَةِ، وَإِشارَةَ (خَطَأ) أَمامَ الْعِبارَةِ غَيْرِ الصَّحيحَةِ فيما يَأْتي:

أ. (   ) عَلامَةُ الاسْتِفْهامِ، توضَعُ بَعْدَ السُّؤالِ.

ب. (   ) عَلامَةُ الاسْتِفْهامِ التَّعَجُّبي، توضَعُ في نِهايَةِ الْجُمْلَةِ التّامَةِ الْمَعْنى.

ج. (   ) عَلامَةُ التَّعَجُّبِ، تُوضَعُ عِنْدَ التَّوْضيحِ.

د. (   ) النُّقْطَتانِ الرَّأْسِيَّتانِ، تُوضَعانِ عِنْدَ الإِعْجابِ.

ه. (   ) الْفاصِلَةُ، تُوضَعُ بَيْنَ أَنْواعِ الشَّيْءِ.

و. (   ) النُّقْطَةُ، تُوضَعُ في نِهايَةِ الْفِقْرَةِ أَوِ الْكَلامِ.

2. أَضَعُ عَلامَةَ التَّرْقيمِ الْمُناسِبَةِ في الْمَكانِ الْخالي فيما يَأْتي:

قالَ الْمُعَلِّمُ (   ) الْعِلْمُ فَوائِدُهُ كَثيرَةٌ (   ) وَبَرامِجُهُ مُتَنَوِّعَةٌ (   ) لأَنَّهُ يُنَمّي عَقْلَ الإِنْسانِ (   ) وَيُطْلِعُهُ عَلى كُلِّ جَديدٍ (   ) فَهَلْ حَرِصْتَ عَلى الْمُطالَعَةِ (   ) وَأَيْنَ يُمْكِنُ أَنْ تُزَوِّدَ نَفْسَكَ بِالْعُلومِ الْحَديثَةِ (   ) وَهَلْ هُناكَ أَعْظَمُ مِنَ الاطِّلاعِ عَلى عُلومِ الْعَرَبِيَّةِ ( )